O GRANDE LIVRO DE SÍMBOLOS

O GRANDE LIVRO DE
SÍMBOLOS

CLAUDIO BLANC

Camelot
EDITORA

**MATERIAL COMPLEMENTAR
ACESSE AQUI**

Presidente: Paulo Roberto Houch
MTB 0083982/SP

Coordenação Editorial: Priscilla Sipans
Coordenação de Arte: Rubens Martim
Revisão: Aline Ribeiro
Vendas: Tel.: (11) 3393-7723 (vendas@editoraonline.com.br)

Impresso no Brasil.
Foi feito o depósito legal.

	Dados Internacionais de Catalogação na Publicação (CIP) (eDOC BRASIL, Belo Horizonte/MG)	
B638g	Blanc, Claudio. O grande livro de símbolos / Claudio Blanc. – Barueri, SP: Camelot, 2022. 15,5 x 23 cm ISBN 978-65-87817-45-3 1. Simbolismo. 2. Sinais e símbolos. I. Título.	CDD 302.2223
	Elaborado por Maurício Amormino Júnior – CRB6/2422	

Direitos reservados à
IBC – Instituto Brasileiro de Cultura LTDA
CNPJ 04.207.648/0001-94
Avenida Juruá, 762 – Alphaville Industrial
CEP. 06455-010 – Barueri/SP
www.editoraonline.com.br

Sumário

Apresentação

O PODER DOS SÍMBOLOS

Os símbolos têm um efeito muito poderoso na psique humana, sendo mais eficientes do que palavras, já que o significado encerrado em um termo qualquer nunca traduz, de fato, a essência que busca comunicar.

Um exemplo é aquele usado pelos professores de português para explicar o conceito de substantivo abstrato através do vocábulo "amor". Como definir o amor usando simples palavras? Seria preciso uma infinidade de sentenças – que talvez viessem até mesmo a formar um livro – para dar uma ideia do que é o amor. E certamente não corresponderia à realidade.

Um símbolo, por sua vez, é bem mais abrangente. Em *The Cambridge Companion to Jung*, os psicólogos Polly Young-Eisendrath e Terence Dawson definem símbolo da seguinte maneira: "a melhor expressão possível para algo que é inferido, mas não diretamente conhecido, ou que não pode ser definido adequadamente por meio de palavras".

Um pouco mais adiante, os organizadores alertam: "um símbolo não deve ser confundido com um 'sinal'". A diferença entre símbolo e sinal é curiosa e tem a ver não com a representação em si, mas com o receptor da informação. Por exemplo, para um cristão que passa em frente a uma igreja, a cruz no alto do campanário é um símbolo que expressa o inefável mistério do sacrifício de Cristo. No entanto, se quem passa em frente à igreja é um budista ou um muçulmano, a cruz será apenas um sinal, indicando que ali é um lugar de encontro entre pessoas da fé cristã.

Os símbolos inspiram e ensinam. São a matéria-prima da arte; uma "gramática" atemporal que pode nos lembrar aquilo que sempre existiu, mas que já foi esquecido.

Há certos conhecimentos que não são acessados através do trabalho intelectual. O filósofo Ken Wilber (1949), um dos maiores nomes do Movimento Transpessoal, apresentou um mapa do desenvolvimento da consciência humana que se compõe de cinco estágios desenvolvidos através da cognição e três estágios que ele chamou de "transpessoais". Como o próprio nome diz, os cinco estágios iniciais são atingidos por meio do conhecimento adquirido e desenvolvido. No entanto, as três últimas etapas da evolução da consciência humana não são acessadas através do conhecimento. Wilber identificou os estágios transpessoais de consciência, como os chamou, com aquilo que os budistas chamam de "estados búdicos" ou "iluminados". Neles, o homem volta a ser *Um com o Universo*. Sabe-se tudo e se conhece tudo simplesmente, porque a consciência humana se fundiu à Consciência Cósmica. A verdade deixa de ser multifacetada e relativa e se torna absoluta. Aqui, as palavras de nada valem. No mundo da iluminação, fala-se na "gramática dos símbolos".

Sonhos e Contos de Fadas

O poder dos símbolos para o homem moderno foi constatado e explorado por Karl Jung e pelos seguidores da Escola de Psicologia

Analítica que ele fundou. Apesar da distância que existe entre nossa sociedade e as culturas arcaicas, os símbolos criados pelas últimas não perderam a importância para a humanidade. Jung postulou que a mente humana tem sua história própria e nossa psique retém muitos traços dos estágios anteriores da sua evolução. Mais ainda, essas informações retidas no nosso inconsciente – a parte da nossa psique cujo conteúdo atua sobre nossa conduta, mas escapa do âmbito da consciência e nem pode por ela ser acessado – exercem sobre a psique uma influência formativa. Conscientemente, ignoramos a existência dos símbolos, mas inconscientemente reagimos a eles. Nossos sonhos estão, segundo Jung, não só são impregnados dessas formas simbólicas como se expressam através delas. E esses símbolos são os mesmos que permeiam os mitos e os contos de fadas.

Quase sempre, achamos que nossos sonhos são desconexos. No entanto, o analista junguiano, ao fim de um período de observação, consegue constatar uma série de imagens oníricas com estruturas significativas. Alguns desses símbolos oníricos provêm daquilo que Jung chamou de "inconsciente coletivo", isto é, a parte da psique que retém

Ilustração russa do conto de fadas O Pato Branco, de Ivan Bilibin (Art Nouveau)

Crédito: Wikiart

e transmite a herança psicológica comum da humanidade. "Esses símbolos são tão antigos e tão pouco familiares ao homem moderno que este não é capaz de compreendê-los ou assimilá-los", escreveu Joseph L. Henderson, um dos discípulos de Jung, no artigo *Os Mitos Antigos e o Homem Moderno*. Segundo ele, as analogias entre os mitos antigos e as histórias que surgem nos nossos sonhos não são triviais nem acidentais. "As analogias entre os mitos antigos e os sonhos existem, porque a mente inconsciente do homem moderno conserva a faculdade de fazer símbolos, antes expressos através das crenças e dos rituais do homem primitivo", explica Henderson. Essa "faculdade de fazer símbolos" ainda continua a ter uma importância psíquica vital. "Dependemos, muito mais do que imaginamos, das mensagens trazidas por esses símbolos, e tanto nossas atitudes quanto o nosso comportamento são profundamente influenciados por elas", conclui o psicólogo junguiano.

Um bom exemplo de como reagimos aos temas simbólicos, num contexto cristão como o de nosso país, é o dos símbolos da Páscoa – os ovos e o coelho. E tudo começa no próprio Jesus Cristo. Seu nascimento, morte e ressurreição seguem os padrões de muitos mitos heroicos antigos, de outros "salvadores" da humanidade, como Osíris, Tamuz e Orfeu. Como Jesus, tiveram nascimento divino ou semidivino. Também eles viveram uma existência significativa, foram mortos e ressuscitaram – uma estrutura baseada originalmente nos ritos sazonais de fertilidade, como os que se celebravam em Stonehenge, na Inglaterra, durante os solstícios. Essas religiões antigas são chamadas de "religiões cíclicas", em que a morte e a ressurreição do deus-rei referem-se a um mito eternamente recorrente. Porém há uma diferença entre o Cristianismo e os outros mitos do deus-rei: aqui Jesus sobe aos céus para se sentar à direita do Pai, ou seja, a sua ressurreição acontece uma só vez e não se repete. "Esse sentido de caráter final, definitivo, será talvez uma das razões por que os primeiros cristãos, ainda influenciados por tradições anteriores, sentiam que o Cristianismo deveria ser suplementado por alguns elementos dos ritos de fecundidade mais antigos: precisavam que essa promessa de ressurreição fosse sempre repetida", pondera Henderson. E é justamente isso o que simbolizam o ovo e o coelho da

Páscoa. Apesar de toda a nossa sofisticação, alegramo-nos com a festa simbólica da Páscoa, presenteamos nossos filhos com ovos e os ensinamos sobre a fertilidade do coelho – a promessa de renovação da vida.

O homem moderno ainda continua a reagir às profundas influências psíquicas que, conscientemente, rejeitaria como simples lendas folclóricas de gente supersticiosa e sem cultura. Mais que isso, esses mitos arcaicos têm um elo crucial com os símbolos produzidos pelo inconsciente e comunicados através dos sonhos. Essas mensagens oníricas são códigos simbólicos que podem nos ensinar muito sobre nós mesmos ou sobre as situações que nos envolvem. De fato, precisamos – todos nós – nos nutrir de histórias para entendermos um pouco mais sobre o profundo mistério que nos cerca.

GUIA DE SÍMBOLOS

ACÁCIA

Significa imortalidade, especialmente na tradição judaico-cristã. A madeira de uma espécie de acácia foi usada para construir o tabernáculo. E, segundo a tradição, a coroa de espinhos de Jesus era feita de acácia. As flores vermelhas e brancas sugerem a dualidade vida-morte. Na Maçonaria, o ramo de acácia é um símbolo de iniciação e um tributo funerário – uma referência ao ramo depositado no túmulo de Hiram, o mestre construtor do Templo de Salomão.

O simbolismo da acácia é muito antigo e tem lugar em todos os continentes. Na Índia, no Nepal, na China e no Tibete, usam-se diversas partes dessa árvore, especialmente a casca, as raízes e a resina, para a fabricação de incenso para rituais. Acredita-se que a fumaça da casca da acácia é capaz de afastar demônios e fantasmas e de deixar os deuses de bom humor. De acordo com o dicionário bíblico *Easton*, é provável que a sarça ardente que Moisés encontrou no deserto fosse a acácia. Igualmente, quando Deus instruiu Moisés quanto à construção do Tabernáculo, disse: "Faça uma arca de madeira de acácia", bem como uma mesa da mesma madeira. Na Rússia, Itália e em outros países, é costume presentear as mulheres com flores de mimosa – o nome popular da acácia dealbata – no Dia Internacional da Mulher (8 de março).

Contudo, o simbolismo mais poderoso da acácia remete à imortalidade, especialmente na tradição judaico-cristã. É esse o contexto do simbolismo da acácia na Maçonaria.

O simbolismo das plantas sagradas faz parte da Maçonaria – a mais antiga herdeira das tradições que surgiram no início da humanidade. Provavelmente, o maior resquício desse conhecimento é a lenda do Ramo de Acácia. Na Maçonaria, a acácia representa a permanência da alma e, referindo-se a símbolo funerário, significa ressurreição e imortalidade. A árvore tem destaque na Lenda do Terceiro Grau, onde é mencionada no funeral de Hiram Abiff, o construtor do Templo de Salomão: ramos de acácia foram depositados no túmulo de Hiram.

E como a lenda do Terceiro Grau, na Maçonaria, a acácia é adotada como símbolo maior da imortalidade da alma. A acácia, como o visgo dos antigos druidas celtas, é sempre verde, conservando aparência jovem e de vigor. Por isso, é comparada à vida espiritual, onde a alma, livre da corrupção do corpo, desfruta a liberdade e a juventude imortal. Com efeito, nos rituais funerários da Maçonaria, costuma-se dizer: "esta [árvore] sempre verde [a acácia] é um emblema da nossa fé na imortalidade da alma. Por meio dela, somos lembrados da parte imortal que carregamos, deve sobreviver ao túmulo e nunca, nunca, nunca deverá morrer". Igualmente, nas sentenças de encerramento da leitura monitória do Terceiro Grau, o mesmo sentimento é celebrado, ensinando o maçom que, por meio do "ramo sempre-verde", ele será fortalecido "com confiança e compostura para buscar a imortalidade abençoada".

Como tudo na Maçonaria, essas fórmulas ecoam tempos imemoriais. De fato, era costume – e continua sendo em algumas partes do globo –

levar-se ao funeral ramos de árvore sempre vivas, geralmente de cedro ou de cipreste. Ainda hoje, as árvores predominantes nos cemitérios são cedros e ciprestes. De acordo com o escritor maçônico Frederick Dalcho, que viveu no final do século XVIII e início do XIX, os hebreus sempre plantavam um ramo de acácia no túmulo de um amigo falecido – exatamente como acontece no funeral de Hiram Abiff. "De acordo com as leis dos hebreus", escreve Dalcho, "os corpos dos mortos não podiam ser enterrados nas paredes das cidades; e como os Cohens, ou sacerdotes, eram proibidos de pisar em um túmulo, foi necessário colocar marcas para evitar a situação. A acácia foi usada com esse propósito".

ALFA E ÔMEGA

Totalidade, representada pelas primeira e última letras do alfabeto grego. Colocadas juntas, as letras simbolizam a unicidade e a totalidade de espaço, tempo e espírito. Quando aparecem numa cruz, referem-se à revelação de Cristo: "Eu sou o Alfa e o Ômega", e, nos túmulos, remete à aceitação de que Deus é o começo e o fim.

ALQUIMIA

Um antigo símbolo do aperfeiçoamento da alma humana. Os alquimistas buscavam, inicialmente, transmutar metais básicos de ouro e prata e, então, produzir um elixir curativo feito dos elementos terra, fogo, ar e água juntamente ao quinto elemento, a quintessência.

O processo foi representado com símbolos tirados de diversas áreas: filosofia, astrologia, misticismo e, durante a Idade Média, religião. Formas simbólicas eram usadas para indicar equipamentos, materiais e processos, em parte para empregar a gramática dos símbolos, a qual está além das palavras, e, em parte, para confundir os que não eram iniciados. As cores preta, branca, vermelha e dourada simbolizavam uma progressão da redução (comparada ao pecado original) à destilação (pureza). Apesar dos charlatões, alquimistas sérios trabalhavam com um sentido de propósito espiritual, acreditando que a intervenção divina traria sucesso.

A imagem medieval de homens de longas barbas brancas, cercados de primitivos instrumentos de laboratório e de matérias-primas

A Oficina do Alquimista,
de Lazarus Ercker (c. 1580)

bizarras, evoca na mente moderna a ideia do mago-cientista procurando realizar milagres. Esses alquimistas ficaram famosos por buscarem transmutar materiais ordinários em ouro e prata e pela criação da panaceia, um remédio que curaria todas as doenças e prolongaria a vida indefinidamente. No entanto, se o aspecto prático da sua ciência lidava com o mundo material, as experiências dos alquimistas eram embasadas numa das mais antigas tradições metafísicas.

A alquimia envolve diversas tradições filosóficas que se desenvolveram durante cerca de quatro mil anos em três continentes. Enquanto a alquimia chinesa estava intimamente relacionada ao taoísmo, a origem da alquimia ocidental está no Egito, de onde chegou à Grécia e ao restante da Europa. A tradição tem como seu fundador o deus Thot, a quem os gregos chamavam de Hermes Trimegistro.

Os alquimistas medievais ficaram famosos por conta da sua busca pela Pedra Filosofal, uma substância essencial para a transmutação dos metais e para a produção da panaceia. Muitos nobres patrocinavam as experiências dos alquimistas. O interesse desses senhores feudais era, porém, mais prático, relacionado com o aspecto químico da alquimia. Os alquimistas produziam pólvora para seus mecenas, difundiam conhecimento de metalurgia, fabricavam tintas, corantes, cosméticos e uma infinidade de outros produtos – até mesmo licores, como a *aqua vitae* (água da vida), uma "experiência" popular entre os alquimistas europeus.

No entanto, apesar desse lado "mundano", os alquimistas não separavam o aspecto físico do seu trabalho com as interpretações metafísicas. Os conceitos e processos químicos eram relacionados a expressões e símbolos de uma série de tradições místicas, da Bíblia ao paganismo, da astrologia à cabala. A astrologia, em particular, está intimamente relacionada à alquimia desde o início. Os sete planetas conhecidos na Antiguidade eram associados a certos metais que sofriam sua influência. Assim, até mesmo a fórmula química mais simples era considerada um encantamento mágico. Para os alquimistas, as substâncias químicas e os processos materiais eram apenas metáforas para estados e transformações espirituais. A transmutação do metal

Wikicommons

Página do tratado de alquimia do pensador e escritor Ramon Llull (início do século XVI)

comum em ouro e a panaceia eram símbolos para a evolução daquilo que é imperfeito, doente, corruptível e efêmero em algo perfeito, saudável, incorruptível e perpétuo. A pedra filosofal seria a chave mística dessa evolução. O alquimista procurava, mais que ouro, desenvolver sua evolução, indo da ignorância à iluminação. Se pensarmos que talvez seja este o caminho de todas as pessoas, nesse sentido, somos – cada um de nós – alquimistas.

AMÉM

Uma afirmação (do hebreu "verdadeiramente") que adquiriu, na cristandade, uma força simbólica semelhante ao mantra sagrado hindu *Om*, incorporando em um som o espírito divino chamado a responder às preces.

ANIMAIS

Os animais sempre foram o fundamento mais imediato, poderoso e importante dos mitos. Nenhuma outra fonte do mundo natural forneceu tantos temas utilizados na iconografia. Poucas qualidades humanas não podem ser personificadas no mundo animal. A psicologia, bem como a religião, relaciona os animais em geral ao simbolismo essencial do instinto, do inconsciente, da libido e das emoções. Tal foi seu significado original.

Shutterstock

Animais: símbolos de poderes humanos e naturais

Normalmente, as mulheres aladas representam a vitória ou a alma, enquanto os anjos são, em geral, representados como figuras masculinas (afresco no Museu do Vaticano)

A reverência dedicada aos animais nas culturas primitivas estava relacionada à percepção de que essas criaturas estão mais ligadas às forças cósmicas invisíveis do que a humanidade. Suas habilidades físicas e sensoriais, superiores às dos homens, levou à crença de que eles possuem poderes espirituais ou mágicos. Para os xamãs, eles eram os meios de acessar seus poderes espirituais. Os clãs e as tribos adotavam animais como totens por esse motivo. Suas peles ou penas eram usadas para simbolizar alianças mágicas entre o xamã e aquele animal. A maioria dos deuses egípcios era personificada por animais, remetendo a qualidades espirituais, e não às paixões.

ANJOS

Além dos santos, o cristianismo tem entidades espirituais que derivam do judaísmo: os anjos. Na tradição judaico-cristã, os anjos são os mensageiros de Deus, os assistentes do trono divino, os intermediadores entre Deus e os homens, os protetores da humanidade. São, também, os executores do Plano Divino, criaturas aladas que povoam os textos sagrados da maioria das grandes religiões, membros de uma hierarquia celestial, conhecedores dos mistérios do Universo. São os regentes da harmonia do Universo, a própria ordem das coisas. Nem sempre bons, às vezes trazem o mal; outras, anunciam a morte. Alguns são anjos caídos, outros são anjos da guarda. É a eles que muitas pessoas se dirigem em suas orações pedindo que defendam suas causas junto a Deus.

A ideia de seres intermediários entre Deus e o Homem é comum a diversas culturas e é característica das religiões dos povos do Oriente Médio. Os babilônios veneravam os sukallis, equivalentes aos espíritos mensageiros da Bíblia. Além de executarem as ordens de seu senhor, eram vice-regentes do Universo. Para completar, eram vistos como príncipes: os filhos da divindade a quem serviam. E como havia muitos deuses e deusas, os babilônios tinham uma grande hierarquia de anjos e demônios, cada qual presidindo sobre algum aspecto particular da natureza. O historiador da religião Eugène Haag escreveu em sua obra *Teologia Bíblica* que os anjos são as antigas divindades que foram eclipsadas pela expansão do monoteísmo.

Entre os judeus, os anjos assumiram um papel de destaque. Aparecem em diversas passagens do Velho Testamento, ora como mensa-

Estátua de anjo na Ponte do Santo Anjo, Roma

Os anjos também são guardiões das pessoas, protegendo-as dos males e orientando-as (afresco na Igreja dos Jesuítas, em Viena, Áustria)

geiros de Deus, ora como executores da lei divina, ora como guias do povo. Nesse conjunto de textos, eles iluminam os profetas, derrotam as hostes que se levantam contra Israel, orientam os líderes do povo. Dessa forma, os anjos do Velho Testamento prefiguram a ideia do Redentor, o ser divino que virá salvar a humanidade de si mesma.

A palavra "anjo" deriva da tradução grega do hebreu "mensageiro", isto é, "aggelos". O termo apareceu na primeira tradução da Bíblia hebraica para o grego, a Septuaginta, realizada entre o terceiro e o primeiro séculos antes de Cristo. De fato, o Velho Testamento contém diversas referências a essas criaturas que conhecem os mistérios celestiais tanto quanto o próprio Deus, a quem se assemelham em perfeição. No entanto, aqui sua importância é ofuscada pela grandeza da mensagem que portam ou pela missão que têm de executar.

Na Bíblia, a primeira menção aos anjos aparece em Gênesis 3:24. Depois de ter expulsado Adão e Eva do Paraíso por O terem desobedecido e comido o fruto proibido, Deus colocou querubins (que são anjos de fogo) "ao oriente do jardim do Éden".

Em Gênesis 32:28, há uma indicação de que os anjos se equivalem a Deus e aos homens. Aqui, depois de lutar contra o patriarca bíblico Jacó, o anjo dá outro nome ao herói bíblico, "Israel", porque "como príncipe lutaste com Deus e com os homens e prevaleceste". Com efeito, "Israel" significa "Príncipe de Deus".

Como a humanidade, os anjos foram criados por Deus. São superiores aos seres humanos, mas não conhecem as paixões. Contudo, no Salmo 8:5, os homens são mencionados como não muito inferiores aos anjos: "Pouco menor o fizeste (o Homem) do que os anjos e de glória e de honra o coroaste".

A Bíblia também explica que alguns anjos são suscetíveis a se rebelarem contra Deus. Expulsos da presença divina, tornam-se anjos caídos.

Se no Velho Testamento as menções aos anjos não são raras, no Novo Testamento, referências a eles aparecem em praticamente todas as páginas. De fato, sua ascendência nessa coleção de escritos é considerável. São os anjos que anunciam a Zacarias e a Maria o nascimento

Shutterstock

O Arcanjo Miguel em combate contra os anjos rebelados, em afresco de Leopold Kuppelwieser (1860)

do Redentor. E quando Maria deu à luz ao menino, um anjo anunciou seu nascimento aos pastores. Foram esses seres divinos que guiaram a fuga da sagrada família para o Egito.

Também Jesus, enquanto falava e andava com os homens, recebia, ao mesmo tempo, a adoração invisível dos anjos das hostes celestiais. Ele nos conta como os anjos o protegiam e como, quando transpirou sangue, apoiaram-no. Jesus anunciou, em mais de uma passagem, que os anjos serão aqueles que prepararão e auxiliarão o Juízo Final. E quando ele ressuscitar, os anjos testemunharão sua glória. Em suas admoestações finais, Jesus garante através da pena de João evangelista (Apocalipse 22:16): "Eu, Jesus, enviei o meu anjo para vos testificar estas coisas nas igrejas: eu sou a raiz e a geração de Davi, a resplandecente estrela da manhã".

ANKH (Cruz Ansata)

A Cruz da Vida, também chamada de *ankh,* simbolizava a eternidade e o dom da vida. Aparece na iconografia sendo usada para conferir vida. De fato, o seu hieróglifo significa "vida ou vida eterna". As divindades são constantemente representadas segurando o *ankh* nas mãos.

Por conta desse aspecto, o símbolo é associado à deusa da fertilidade e maternidade Ísis e a Osíris, deus da vegetação e da vida no além. Desse modo, a cruz ansata representa a união dos princípios geradores do mundo: o feminino e o masculino. Era um dos emblemas do faraó, usado para lhe garantir proteção, saúde e felicidade.

O *ankh* foi relacionado à cruz cristã e em alguns períodos os egípcios convertidos ao cristianismo utilizaram a cruz cristã e a "cruz ankh" como símbolos da religião cristã. O *ankh* também significa "espelho de mão" e talvez fosse essa a representação mais próxima do amuleto: "refletir" a vida.

ARCANJOS

Anjos da Terceira Esfera, cujos atributos são, principalmente, o de serem anjos mensageiros e guerreiros. A palavra "arcanjo" vem do gre-

*O arcanjo
Miguel, por
Vladimir
Borovikovsky
(1794)*

go e significa algo como "anjo principal" ou "anjo-mor". A palavra aparece duas vezes no Novo Testamento.

Na Primeira Epístola aos Tessalonicenses, 4:16, São Paulo escreve: "Quando for dado o sinal, à voz do arcanjo e ao som da trombeta de Deus, o mesmo Senhor descerá dos Céus e os que morreram em Cristo ressurgirão primeiro". Em Judas 1:9, pode-se ler: "Mas quando o Arcanjo Miguel, discutindo com o Diabo, disputava a respeito do corpo de Moisés, não ousou pronunciar contra ele juízo de maldição, mas disse: o Senhor te repreenda".

Miguel – sempre combatendo Satã – é o único ser celeste a ser identificado na Bíblia como arcanjo. Contudo, os estudos desenvolvidos por teólogos cristãos, cabalistas e estudiosos de outras correntes listam dezenas de arcanjos. No livro de Daniel, o Arcanjo Miguel é descrito como "um dos principais príncipes" (Daniel 8:25) e "Príncipe do exército" (Daniel 8:11). A maioria das tradições cristãs considera que Gabriel também era um arcanjo, embora ele não seja mencionado com tal nas Escrituras.

Wikiart

*O arcanjo Rafael
com Adão e Eva, por
William Blake (1808)*

27

O terceiro arcanjo venerado pelo cristianismo é Rafael, mencionado no livro de Tobias, um texto aceito pelos católicos, mas não por outras denominações cristãs, como, por exemplo, os Batistas. Aqui, Rafael diz a Tobias que é "um dos sete que servem diretamente ao Senhor". Um terceiro arcanjo conhecido dos textos bíblicos é Uriel, a "Luz de Deus", mencionado no apócrifo livro de Enoque e no segundo livro de Esdras. No livro de Enoque 20:2, Uriel é identificado como "um dos santos anjos".

Na verdade, o livro de Enoque, em seu capítulo 20, lista seis "anjos guardiões", os quais, provavelmente, estão entre os sete arcanjos ao senhor: Uriel, Rafael, Raguel, Miguel, Sarakiel e Gabriel. O sétimo seria, possivelmente, Amitel.

ÁRVORE DA VIDA (na Cabala)

Os cabalistas se referem a Deus como o Indescritível, ou o Infinito: *Ein Sof.*

A explicação que os cabalistas dão para o fato de *Ein Sof* estar além da nossa compreensão é tão simples quanto lógica. Para eles, a mente finita não pode conter o infinito. Assim, *Ein Sof* é descrita no Zohar como "a Causa acima de todas as causas", "a raiz de todas as raízes" e "a Vontade Primeva". *Ein Sof* revela a si mesmo, por meio de dez aspectos, ou *sefirot* (o singular é *sefirah*) – esferas que Dele emanaram. As *sefirot* formam o padrão para a interação entre Deus e o homem. Baseados nessa ideia, os cabalistas criaram um modelo, um mapa, desse padrão, conforme ele desce de *Ein Sof*, a Árvore da Vida.

Um místico judeu disse que: "*Ein Sof*, o Deus oculto, que habita nas profundezas do Seu próprio Ser, busca se revelar e liberar os seus poderes ocultos. A Sua vontade se realiza por meio da emanação dos raios da Sua luz, dispostos na ordem das *sefirot*, o mundo da emanação divina". Já o Zohar descreve as *sefirot* como atributos de Deus, ou como representações, por meio das quais Deus revela a si mesmo. O rabi Moisés Luzzatto, um cabalista do século XVIII, explicou que "as dez sefirot atuam como 'véus' – dez estágios que o Criador produziu para servirem

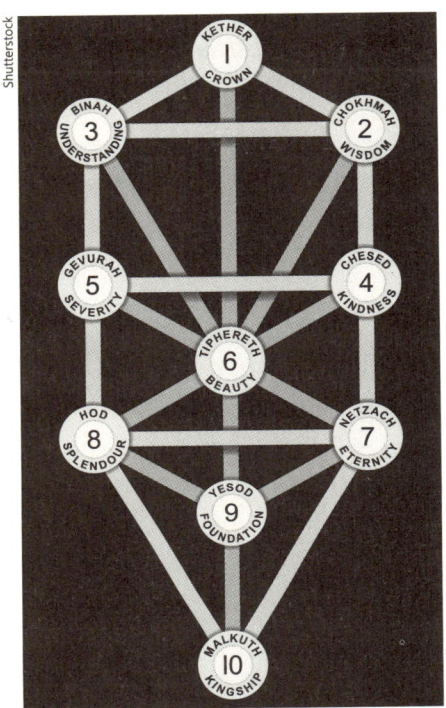

*As sefirot e a
Árvore da Vida*

de canais, através dos quais a Sua abundância pudesse ser transmitida ao homem. Ele fez dez receptáculos para que a abundância, ao atravessá-los, ficasse densa o bastante para que as criaturas inferiores pudessem suportá-la". Dessa forma, as *sefirot* seriam uma espécie de transformador cósmico que diminuem a intensidade da luz de *Ein Sof*. Outros entendem, ainda, que elas são uma ponte que liga o Universo finito ao Deus infinito.

Os cabalistas usam muitas imagens para as *sefirot*. São luzes, nomes, estágios, coroas, espelhos, pilares, poderes, portais ou faces de Deus. Não há, de qualquer forma, um acordo tácito sobre a origem desse termo. Alguns dizem que a palavra vem do hebraico *sappir*, ou "luz brilhante", uma vez que elas nos "iluminam" a respeito de Deus. Outros sustentam que *sefirot* deriva de *saper*, ou "dizer", pois nos falam de Deus. Da mesma forma, há correntes diferentes sobre o relacionamento do *Ein Sof* com as *sefirot*. Para alguns cabalistas, elas são os instrumentos que *Ein Sof* criou para realizar sua busca. Para outros, são

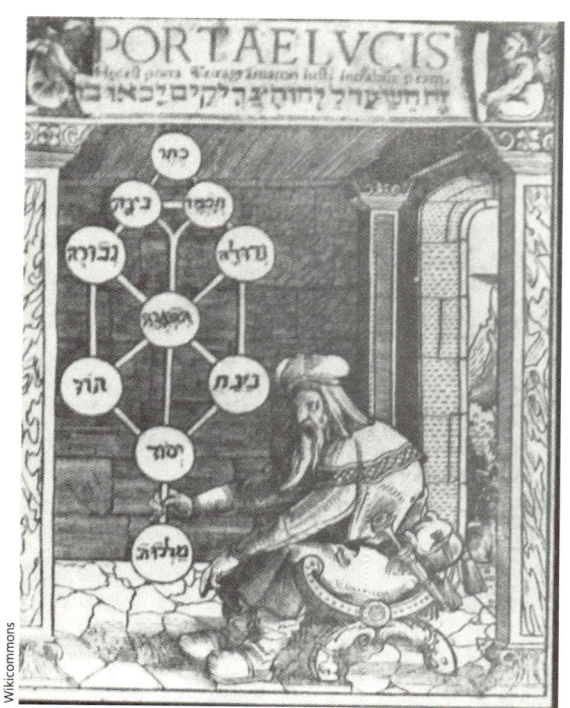

Ilustração da edição latina da obra Shaarei Ora, do cabalista Gikatilla

a essência do *Ein Sof*, idênticas a Ele e que não podem ser separadas Dele. Uma terceira corrente – a mais aceita – concilia as duas anteriores, afirmando que as *sefirot* são instrumentos e, ao mesmo tempo, a essência de Deus.

Uma a uma, as *sefirot* vão se desdobrando de *Ein Sof*. De início, surge uma centelha, da qual irrompe uma fonte de "aura etérea", a primeira *sefirah*: *Keter* ou Coroa. *Keter*, então, gera a segunda *sefirah*, *Hokhmah* (a Sabedoria), de vibração mais baixa do que *Keter*. A seguir, a Sabedoria cria a terceira *sefirah*: *Binah* (a Compreensão). As sete *sefirot* restantes estão no seio de *Binah*, "como um embrião está no ventre da mãe", que são emanadas em seguida: *Hesed* (Amor/Misericórdia); *Geburah* (Justiça/Julgamento); *Tiferet* (Beleza/Compaixão); *Netzah* (Vitória); *Hod* (Esplendor/Majestade); *Yesod* (Fundação); e *Malkhut* (o Reino, também chamado de *Shekhinah* ou "Divina Presença" – o aspecto feminino de Deus). Essas *sefirot* formariam uma cadeia através da qual fluem as forças de Deus. A última *sefirah* da cadeia, *Malkhut/Shekhinah*, canaliza a energia divina para o nosso mundo.

BA

Um símbolo egípcio da alma, normalmente retratado como um falcão com cabeça humana. Os egípcios tinham diversos símbolos para o princípio da vida individual, alguns dos quais, como o BA, deixavam o corpo depois da morte.

BAFOMÉ

Quando a Ordem dos Cavaleiros Templários caiu, em 1307, seus membros confessaram, nos interrogatórios a que foram submetidos, a adoração da cabeça mágica, conhecida como Bafomé, cujo nome talvez combine o do deus pagão Baal e do profeta Maomé.

Ao ser interrogado, o templário Hugues de Payraud declarou que ele tinha sentido, adorado e beijado uma cabeça em Montpelier, e que ela tinha dois pés na frente do pescoço e dois atrás. Alguns templários afirmaram, sob tortura, que o ídolo parecia um diabo, e que os iniciados gritavam "Iah Alá", quando o beijavam. Essas palavras sugerem uma crença em Iavé, ou Jeová, e no Islã. Todas as testemunhas confessaram honrar a cabeça como o Salvador que possui o poder regenerativo de fazer as árvores verdes e as plantas crescerem.

A Figura do "Homem Verde", um ser mitológico com esse poder regenerativo, remete à cabeça sagrada. Ela está entre as primeiras imagens maçônicas gravadas em pedra pela guilda escocesa de construto-

O Homem Verde é uma figura folclórica de muitos países europeus, aqui visto junto à Rainha de Maio, no Festival da Primavera, em Clun, Inglaterra

Shutterstock

res. A associação entre templários e maçons levou, então, séculos depois, também à crença de que a Moderna Maçonaria adorava o mesmo ídolo. Assim, a Igreja acusou os maçons de cultuarem o ídolo Bafomé.

A associação dos maçons e do culto à cabeça também se deve ao seu simbolismo. Em muitos romances medievais ligados ao Santo Graal, a cabeça decepada aparece. Acreditava-se que ela poderia falar, como o deus celta Bran, ou ser venerada sobre um prato como a cabeça de São João Batista – tida, algumas vezes, como outra manifestação física do Santo Graal. A cabeça falante era uma coisa necessária para o ofício dos alquimistas, cuja mistura de Astrologia e conhecimento hermético passou a ser chamada de "ciência da Idade Média".

BAMBU

O bambu era um atributo do compassivo Bodhisattva Guanyin, e do cavalheiro. Os anéis do seu caule são associados com os passos da iluminação. Também pode simbolizar o Buda. Enquanto utensílio usado na caligrafia, tinha significado sagrado para os estudiosos budistas e taoístas, bem como para os artistas. Na América do Sul, onde o bambu era usado pelos nativos como instrumento de corte, flauta e zarabatana, algumas tribos reverenciavam espécies de plantas que atingiam altura elevada, como árvores da vida. Na África, o bambu era usado na circuncisão ritual.

Shutterstock

Um símbolo oriental de resistência, longevidade, felicidade e verdade espiritual tido como uma das três plantas auspiciosas do inverno

No Egito, a barba era sinônimo de status. Em outras regiões, traduzia sabedoria e honra

BARBA

Dignidade, soberania, virilidade, coragem e sabedoria. As divindades masculinas, reis, heróis e sábios aparecem, quase sempre usando barbas no universo iconográfico. No Egito, os governantes, inclusive as rainhas, usavam barbas falsas como marca de status. As tradições semíticas e os sikhs relacionam as barbas com honra.

BATISMO

Um rito espiritual de passagem que simboliza purificação e regeneração. Para os psicólogos, o batismo pela água representa a dissolução do antigo eu e o renascimento a partir das águas originais da vida. O seu uso em cultos e religiões é antigo e muito difundido, por vezes como rito de iniciação não só para os vivos, mas também para os mortos. Dependendo da denominação, o batismo cristão pode simbolizar a entrada para uma igreja e a marca do adulto na fé, bem como renascimento na graça e arrependimento de pecados passados ou, ainda, compartilhamento simbólico e ressureição de Cristo. Menos comuns eram os batismos pelo vento ou pelo fogo, sendo que o último era o destino ou a escolha de alguns mártires.

BARCO

No Egito, para muitos povos habitantes das margens dos rios ou das regiões costeiras, pequenos barcos eram símbolos da transição do mundo material ao espiritual. Pequenos barcos simbólicos para as almas daqueles que renasceriam cruzavam as regiões perigosas do submundo. Entre as tribos do Amazonas, os corpos dos chefes eram colocados num barco que era lançado nos rios para ser levado pela correnteza. No mito grego, o barco de Caronte levava as almas dos mortos através do rio Estige até o submundo.

BEIJO (Ósculo Sagrado)

"Terminadas as orações, saudamo-nos mutuamente com um beijo", escreveu Justino, o Mártir, na sua defesa do Cristianismo. O beijo, saudação tradicional entre os membros de uma família, tornou-se um forte símbolo de unidade e reconciliação, quando trocado entre os cristãos. Dava-se geralmente antes da partilha da Eucaristia para celebrar o fato de os homens e as mulheres da comunidade serem irmãos e irmãs, em espírito, através do amor de Cristo.

Uma cristã ortodoxa beija o ícone milagroso da Virgem Maria em frente à Igreja da Dormição no Cemitério Olsany em Praga, República Tcheca

O beijo era uma maneira de lembrar o amor de Jesus pela sua Igreja. Na verdade, a palavra grega utilizada no Novo Testamento para "beijo" é *philema*, derivada do verbo *phileín* (amar). O apóstolo Paulo ordenava muitas vezes aos fiéis: "Saudai-vos uns aos outros com o ósculo santo".

A prática ajudou a despertar os boatos de que os cristãos cometiam incesto. Contudo, o beijo na boca trazia outros e mais sérios problemas aos primeiros cristãos, como o de evitar que os ósculos santos se tornassem carnais. O fato de alguns "irmãos e irmãs" gostarem tanto dos ósculos santos que tornavam a repeti-los levou Atenágoras, apologista do século II, a aconselhar que o beijo litúrgico fosse um ritual "cautelosamente observado".

Com o tempo, surgiram normas que permitiam aos homens beijarem apenas os homens, e às mulheres apenas as mãos cobertas dos homens. Licínio, coimperador com Constantino de 311 a 324, proibiu o culto dos cristãos em assembleias mistas por causa dos rumores de beijos desregrados e promiscuidade generalizada.

Apesar dos falsos boatos de libertinagem espalhados pelos não crentes e das tentações físicas da parte dos fiéis, a Igreja, no início, manteve firmemente a prática. Porém, pouco a pouco, a troca de beijos na boca foi modificada. Na parte final da Idade Média, a Igreja começou a estimular o abraço em vez do beijo. Os fiéis eram instruídos a tocar os ombros da pessoa que recebia, que, por sua vez, segurava os cotovelos da pessoa que dava o beijo, inclinando ambos a cabeça um para o outro. Em épocas mais recentes, as igrejas aconselhavam intensamente os fiéis, antes de partilharem a Eucaristia, a manifestar o espírito de unidade cristã, apertando as mãos. Esse gesto é conhecido como "sinal da paz".

BOLHA

Evanescência, especialmente da vida terrena – um simbolismo comum nas alegorias budista e cristã da mortalidade. Na iconografia renascentista, as almas ainda não nascidas, os *peutti*, anjos com aparência de bebês, aparecem soprando bolhas com a inscrição *Homo bulla est* (o homem é uma bolha).

BOSQUES SAGRADOS

Os bosques, ainda mais do que os lagos e rios, eram lugares de presença divina para os celtas. Lucain conta como César arrasou, perto de Marselha, um bosque sagrado, onde troncos de árvores eram esculpidos para representar deuses. Ele conta, ainda, que ali se praticavam ritos bárbaros e que as árvores estavam salpicadas de sangue humano.

A falsa ideia de que os celtas não construíam templos provavelmente se deve ao fato de que a maioria dos ritos religiosos acontecia em altares erigidos em bosques e florestas.

As árvores eram contempladas e consideradas sagradas. O azevinho, por ser de coloração vermelha, era comparado ao sangue menstrual, assim como as brancas frutas do visco simbolizavam o sêmen.

A importância das árvores na religião celta é nítida. São vários os desenhos de árvores, entrelaçados pelos nós celtas, assim como também são várias as reverências a tais plantas.

Essas tribos enxergavam nelas, além da essência da vida, formas para prever o futuro, levando em conta a inteligência suprema da natureza, observando como a queda das folhas gerava, paradoxalmente, os melhores brotos.

As árvores proporcionavam o lar, a sombra, a lenha e o sustento de aves que poderiam vir a ser alimento para a tribo.

CABEÇA

Tida como o instrumento da razão e do pensamento, mas também a manifestação do espírito, poder ou força vital de uma pessoa – um significado que remonta ao valor conferido à cabeça decepada de um inimigo. Para muitos povos, a cabeça possuía um simbolismo de fertilidade ou fálico e acreditava-se que transmitia a força e a coragem do guerreiro decapitado para o seu novo dono. Na iconografia, a cabeça de um deus, herói ou rei, colocada sobre um pilar, exibida numa moeda, ou usada como um emblema funerário, incorporava o seu poder de influenciar os eventos.

Entre os celtas, a cabeça humana é venerada acima de tudo, pois, para eles, a cabeça é a alma, o centro das emoções e a própria vida; um símbolo do divino e dos poderes sobrenaturais. O culto da cabeça está documentado em mitos como o de Bran. Os heróis dessas histórias têm suas cabeças decepadas. No entanto, longe de morrer, as cabeças separadas dos corpos mundanos adquiriam a capacidade de enxergar outra realidade, uma dimensão mítica.

Os guerreiros celtas também costumavam ir às batalhas levando cabeças decepadas de inimigos amarradas em seus corpos e cavalos. De acordo com Olivier Launay, Diodoro Sículo, que no século I d.C. escreveu sua obra *História*, registrou que os celtas "decepam as cabeças dos inimigos mortos em combate e as amarram aos pescoços dos cavalos. Eles entregam os despojos ensanguentados aos seus atendentes e pregam esses frutos nas suas casas, da mesma forma como fazem os que exibem certos animais que caçam. Eles embalsamam as cabeças dos inimigos mais distintos em óleo de cedro, as guardam cuidadosamente num baú e as exibem orgulhosamente aos estranhos, dizendo que, por aquela cabeça, um dos seus ancestrais, seu pai, ou ele mesmo, recusou uma grande soma em dinheiro. Alguns bravateiam que recusaram o peso da cabeça em ouro."

Os celtas também acreditavam que se cravassem a cabeça decepada em um mastro ou na cerca de sua casa, a cabeça começaria a gritar quando um inimigo estivesse se aproximando. Se a cabeça fosse de um inimigo considerado particularmente importante, ela era colocada num santuário e venerada. Para os antigos celtas, a cabeça decepada era uma fonte contínua de poder espiritual. Como essa parte do corpo era considerada a sede da alma, possuir a cabeça de um inimigo, honradamente ganha em batalha, era um troféu para qualquer guerreiro.

CADUCEU

Uma haste com duas serpentes, por vezes encimada por um par de asas. Hoje é um emblema da Medicina ou do comércio e da contabilidade, porém, no passado, teve grande variedade de significados. A palavra grega que deu origem ao termo caduceu significava "cetro do cargo de arauto", uma vez que era a vara mágica do deus Hermes, ou do seu equivalente romano, Mercúrio. Tido, também, como o mensageiro dos deuses que veio a ser usado como emblema de proteção dos mensageiros que realizavam tarefas políticas ou comerciais.

No mito romano, Mercúrio usa uma vara para reconciliar duas cobras que lutavam entre si. Esse episódio tornou o caduceu em um emblema romano da conduta moral equilibrada, embora a forma do cetro encerre diversos significados simbólicos mais antigos. Uma vara com serpentes enroladas combina diversos elementos fundamentais: sugere poder fálico, a árvore da vida, um meio de comunicação ou rota das mensagens entre a terra e o céu, uma espiral dupla formada pelas serpentes, sugerindo energia cósmica, dualidade e a união dos opostos. Além disso, as cobras evocam as forças fertilizadoras da terra e do submundo.

Shutterstock

Caduceu de Esculápio

O caduceu é um símbolo que tem mais de quatro mil anos de idade, associado com divindades, quase sempre mensageiras dos deuses, na Fenícia, na Babilônia, no Egito e na Índia, onde tornou-se a imagem da *kundalini*. Na alquimia, o caduceu remete à integração dos opostos (Mercúrio e Enxofre). Pode também representar equilíbrio e, na arte ocidental, a paz. A associação com a Medicina deriva do simbolismo da serpente, a qual representa, entre outras coisas, o rejuvenescimento: um bastão com uma única cobra é o atributo de Esculápio, deus da cura. Jung considerava caduceu como um emblema da medicina homeopática – a cobra que tanto envenena como cura.

CAMINHO ÓCTUPLO

O Caminho Óctuplo do Buda, a Quarta Nobre Verdade, descreve a trilha para a salvação. São oito categorias da "Correta" ação: o Correto Falar; a Correta Ação; a Correta Profissão; a Correta Concentração; o Correto Esforço; a Correta Atenção; a Correta Compreensão; e o Correto Pensamento.

Os oito fatores que formam o caminho óctuplo estão entrelaçados entre si e subdivididos em três elementos essenciais à prática budista: 1) conduta ética (*Sīla*) – palavra ação e meio de vida corretos; 2) disciplina mental (*samādhi*) – esforço, atenção plena e concentração corretos; 3) introspecção / sabedoria (*paññā*) – pensamento e compreensão corretos.

O Buda ensinava que a prática dessas virtudes nos conduz à salvação.

CARDEAIS, PONTOS

Os quatro pontos cardeais (Leste, Oeste, Norte e Sul), graficamente representados por uma cruz, eram um antigo símbolo do Cosmos, com a humanidade no centro (por vezes considerado o quinto ponto). Em antigos rituais, especialmente na América do Norte e do Sul, considerava-se que os deuses habitavam essas posições e controlavam a vida humana, o que explica a importância do número 4 na mitologia e na vida religiosa e cotidiana. A partir dessas direções, aparecem os ventos que trazem a chuva para fertilizar ou destruir as plantações, personificados por deuses que eram venerados, que recebiam oferendas sacrificais ou libações. No pensamento chinês, tigres simbolizando forças protetoras guardavam os quatro pontos cardeais e o centro. Como o simbolismo de cada uma das direções baseava-se principalmente no clima e na influência do sol, as semelhanças são transculturais e mais marcantes nas direções leste e oeste do que com relação ao norte e ao sul.

Leste – Quase invariavelmente simboliza a luz, a fonte da vida, o Sol e os deuses solares, além de juventude e ressureição. Era o ponto principal da maior parte das religiões naturais. Aqui ficavam o dragão celestial chinês e o crocodilo da criação asteca, o Éden judaico-cristão, o local de nascimento dos heróis, o lar dos ancestrais e, em muitas tradições africanas, o lugar para onde iam as almas. As preces cristãs e islâmicas eram feitas voltadas para essa direção e, nas nações Dakota, entre outras, os corpos eram enterrados com as cabeças voltadas para o leste.

Oeste – Simboliza o sono, o descanso, o mistério da morte, os Campos de Caça Felizes dos índios norte-americanos, o reino dos espíritos dos egípcios e gregos. Em algumas culturas, esse ponto cardeal se relaciona com o medo. Para os nórdicos, o mar da destruição, o abismo, ficava no oeste. São Gerônimo associou o Oeste com satã, e, para algumas culturas africanas, era para onde iam as almas.

Norte – Simboliza o poder da guerra, escuridão, fome, frio, caos e o mau na maioria das tradições do hemisfério norte, exceto nos mitos egípcios e indianos, onde representam luz e o princípio masculino. Associado com ventos furiosos, era o local onde ficavam deuses poderosos, como Arimã, o príncipe da escuridão iraniano, Lúcifer Mictlanteculitli, o deus asteca da morte. Iconograficamente, esse ponto cardeal é representado como a águia da guerra asteca, o touro alado dos hebreus e a tartaruga negra chinesa.

Sul – Na maioria das regiões do globo, o sul simboliza fogo, paixão, masculinidade, energia solar e lunar. Uma vez mais, o Egito e a Índia são exceções. Nesses locais, o sul remetia à noite, ao inferno e ao princípio feminino.

CÁTAROS

As tradições dos cátaros foram combatidas pela Igreja de Roma, que os aniquilou na única cruzada promovida dentro da Europa, a Cruzada Albigense (1209 – 1229), um movimento que pode ser considerado o início da Inquisição. A eficiência desse holocausto papal foi tão satisfatória que pouco se sabe sobre as crenças dessa seita. No entanto, seus ensinamentos se instilaram nos romances produzidos na Provença pouco depois da Cruzada Albigense. Esses romances tratam, justamente, da lenda do Gral. Retratam a busca pelo amor místico que transforma o cavaleiro ingênuo e bruto num defensor da justiça divina e o fiel serviço dedicado de maneira quase casta a uma amada, isto é, ao feminino, ao passivo, que o levará a transmutar sua essência numa consciência superior.

De acordo com os conceitos dos cátaros, que se imiscuíram nas canções dos trovadores do sul da França e foram transfigurados no ideal do amor cortês, é a união do homem e da mulher, da força e da graça, da potência e da criatividade, que complementa a esfera humana e

Wikicommons

Expulsão dos Cátaros de Carcassonne, em 1209, segundo um manuscrito francês do século XV

viabiliza nossos potenciais; é o relacionamento imbuído de amor entre mulher e homem – com todos os seus prazeres e dificuldades – que nos torna verdadeiramente humanos.

Isso, porém, colidia com os interesses da Igreja, uma organização masculina que se esforçava para excluir "as filhas de Eva" do seu círculo de poder e a considerava um "mal" necessário à reprodução da espécie, sempre pronta a corromper o homem com seus desejos e malícia – exatamente como fez Eva, levando a humanidade a ser expulsa do Paraíso.

Após as reformas eclesiásticas do século XI, o status da mulher foi diminuído ainda mais pela Igreja. O celibato, antes opcional, passou a ser obrigatório para os sacerdotes; o sexo – especialmente a fornicação, isto é, sexo fora do casamento – tornou-se pecado e as mulheres eram, cada vez mais, vistas como seres cheios de soberba e de luxúria.

CERVEJA

Para os celtas, a cerveja era a bebida dos líderes tribais e guerreiros, acreditando que era o que os deuses consumiam. No Egito, era ofertada ao deus Osíris. Na América do Sul, entre os incas, a cerveja de milho, chamada de chicha, era usada em ritos de passagem e oferecida às divindades em agradecimento por dádivas pedidas ou recebidas.

CINZAS

O uso litúrgico das cinzas tem sua origem no Antigo Testamento. As cinzas simbolizam dor, morte e penitência. Por exemplo, no livro de Ester, Mardoqueu se vestiu com um saco e se cobriu de cinzas, quando soube do decreto do Rei Asuer I (Xerxes, 485-464 a.C.) da Pérsia, que condenou à morte todos os judeus de seu império (Est. 4:1). Jó (cuja história foi escrita entre os anos 7 e 5 a.C.) mostrou seu arrependimento, vestindo-se de saco e cobrindo-se de cinzas (Jó 42:6). Daniel (cerca de 550 a.C.), ao profetizar a captura de Jerusalém pela Babilônia, escreveu: "Volvi-me para o Senhor Deus a fim de dirigir-lhe uma oração de súplica, jejuando e me impondo o cilício e a cinza" (Dn. 9:3). No século V a.C., logo depois da pregação de

Jonas, o povo de Nínive proclamou um jejum a todos e se vestiu de saco, inclusive o rei, que, além de tudo, levantou-se de seu trono e sentou-se sobre cinzas (Jn. 3:5-6). Esses exemplos retirados do Antigo Testamento demonstram a prática estabelecida de utilizar cinzas como símbolo de arrependimento.

O próprio Jesus fez referência ao uso das cinzas. A respeito daqueles povos que se recusavam a se arrepender de seus pecados, apesar de terem visto os milagres e escutado a Boa Nova, Jesus proferiu: "Ai de ti, Corozaim! Ai de ti, Betsaida! Porque se tivessem sido feitos em Tiro e em Sidônia os milagres que foram feitos em vosso meio, há muito tempo elas se teriam arrependido sob o cilício e as cinzas" (Mt. 11:21). A Igreja, desde os primeiros tempos, continuou a prática do uso das cinzas com o mesmo simbolismo. Em seu livro *De Poenitentia*, Tertuliano (160 – 220 d.C.) prescreveu que um penitente deveria "viver sem alegria vestido com um tecido de saco rude e coberto de cinzas". Eusébio (260 – 340 d.C.), o famoso historiador dos primeiros anos da Igreja, relata em seu livro *A História da Igreja*, como um apóstata de nome Natalis que se apresentou vestido de saco e coberto de cinzas diante do papa Ceferino, para suplicar-lhe perdão. Sabe-se que num determinado momento existiu uma prática que consistia no sacerdote impor as cinzas em todos aqueles que deviam fazer penitência pública. As cinzas eram colocadas quando o penitente saía do confessionário.

CÍRCULO
Provavelmente, o círculo é o mais universal dos símbolos. Aparece em representações de absolutamente todas as culturas do planeta, e em todas as épocas. Os primeiros templos-observatórios construídos pelo homem, como Stonehenge, na Inglaterra, são circulares, e o uso do círculo nas "rodas de medicina" dos índios norte-americanos levou o xamã da Chapada Diamantina, Bahia, José Duarte, seguidor da tradição dos índios lacotas, das pradarias dos Estados Unidos, a afirmar: "os índios conheciam, sim, a roda; só que a usavam de um jeito diferente".

Por retroceder para si mesmo, o círculo remete à completitude, totalidade, perfeição, unidade, eternidade e dinamismo. O círculo simboliza o todo, o Uno, o espaço em que tudo acontece e não tem início, nem fim, apenas o fluir da energia que, ao atravessar as diversas direções, vai construindo a vida e dando forma material aos sonhos e às ideias.

O círculo também é um símbolo do absoluto e da perfeição. Por isso, para os filósofos neoplatônicos, o círculo incorporava Deus, o centro do Cosmos.

Por ser uma forma potencialmente sem começo nem fim, o círculo é o mais importante e universal entre todos os símbolos geométricos. Nossos ancestrais percebiam o movimento circular nos ciclos das estações e do céu e presumiam que o Universo fosse circular. Nesse sentido, o círculo é associado ao tempo e à infinitude, frequentemente sob a forma de uma serpente que morde a própria cauda, chamada de ouroboros.

Sua força também está associada a outros importantes símbolos, como a roda, o disco, o anel, o sol, a lua e o zodíaco. Aparece em rituais, danças, na arquitetura das stupas budistas, na forma das choupanas de algumas tribos indígenas...

No zen-budismo, os círculos concêntricos representam o grau mais elevado de iluminação e a harmonia de todas as forças espirituais. Já no Cristianismo, remete às diferentes hierarquias espirituais ou diferentes etapas da criação.

A távola redonda do rei Artur emprega o círculo como um emblema de união e igualdade, um sentido preservado modernamente nos círculos unidos do atual ícone olímpico. O círculo não possui cabeceira, nem lugar especial, todos se sentam no mesmo nível e cada ponto, embora vibre de acordo com a sua própria direção, não difere dos outros em valor.

CÍRCULOS DE PEDRA (HENGES)

Henges são solitários e evocativos templos pagãos que, ao contrário de outros monumentos megalíticos, só existem nas ilhas britânicas. Cerca de cem deles ainda desafiam o tempo, erguendo-se espalhados desde o Arquipélago Orkney, na Escócia, à Cornualha, no sul da Inglaterra. São estruturas circulares ou ovais, definidas por um aterro e uma vala, para onde há uma ou duas entradas. O aterro é, geralmente, fora da vala, formando, desse modo, a fronteira para um espaço sagrado, separado física e espiritualmente do mundo cotidiano.

O mais famoso henge é, sem dúvida, Stonehenge, perto da cidade de Avenbury, Inglaterra. Parece que sua construção começou há mais de cinco mil anos e continuou pelos 1700 anos seguintes, ficando mais complexa à medida que o conhecimento astronômico aumentava. São círculos de pedra, buracos e dolmens que serviam de marco para se observar o surgimento do sol ou da lua contra uma reta formada com algum ponto no horizonte. O que resta hoje desse espetacular templo-observatório astronômico são só ruínas, mas podem nos dizer alguma coisa sobre ele. Há três círculos: o externo tem 56 posições marcadas e os dois internos, 30 e 29. Há também uma grande pedra, a nordeste, a Pedra Altar, onde, especula-se, executava-se sacrifícios de sangue. Os solstícios de inverno e verão e as posições norte e sul são particularmente marcadas e os dois círculos internos permitem contar meses lunares com precisão.

A teoria do templo-observatório, desenvolvida pelo professor Alexander Thom, é a mais aceita. Pesquisas recentes demonstraram que Stonehenge começou como um santuário lunar, mas, com o tempo, foi modificado para o culto do sol. A entrada original do templo se alinhava com o surgimento mais setentrional da lua no século. Essa preocupação com a lua tem, provavelmente, ligação com rituais de morte. No entanto, conforme as escavações indicam, os sacerdotes-astrólogos acabaram mudando a entrada do templo 9 graus ao sul, alinhando-a, assim, com o surgimento do sol no solstício de verão. Enquanto executava os rituais, exatamente no centro do círculo de pedra, o sacerdote veria o sol nascer exatamente na pedra-portal, chamada de Heel Stone, ou Pedra Calcanhar.

CIRCUM-AMBULAÇÃO
O ritual de andar ao redor de um objeto sagrado ou de definir e san-

tificar um espaço fazendo um circuito ao seu redor, reproduzindo os ciclos solar e astral, evocando as forças celestiais e o simbolismo protetor do círculo. Um dos rituais de circum-ambulação mais conhecidos são os realizados pelos peregrinos muçulmanos em Meca, os quais dão sete voltas ao redor da Caaba (o cubo sagrado). No budismo, também tem lugar de destaque entre seus rituais. Os budistas circundam stupas entoando mantras, em especial o Om, para entrar em harmonia com os

A Crucificação

A crucificação era uma forma bárbara de pena capital praticada pelos persas, fenícios, assírios, egípcios, babilônicos, cartagineses, selêucidas, gregos, romanos e judeus. Essa forma de execução foi usada pela primeira vez no século VI a.C., entre os romanos. Plínio, o Velho, afirmou que o método foi inventado por Tarquinius Priscus e introduzido entre 260 e 160 a.C., mas é mais provável que os romanos tenham aprendido a crucificar com os fenícios.

Em Roma, a crucificação era a mais humilhante das punições, reservada apenas aos criminosos, nativos de províncias conquistadas, escravos, piratas, traidores, agitadores políticos e religiosos. Os cidadãos romanos não podiam legalmente ser punidos com a crucificação, a não ser por traição ao Estado.

A palavra "crucificação" deriva do termo cruciare, isto é, "torturar", "atormentar". Porém o método causava mais do que tormento. Primeiro, o prisioneiro era açoitado com um tipo específico de chicote, o flagrum: duas tiras de couro em cujas pontas havia pequenas bolas de chumbo, que provocavam tremendas lacerações e, até mesmo, quebravam ossos e costelas. Isso visava acelerar a morte na cruz. Depois de ser açoitado com o flagrum, o condenado tinha, normalmente, de carregar o patibulum – a trave horizontal da cruz –, que pesava cerca de 25 a 30 quilos, até o local da crucificação. O condenado recebia um Titulus Crucis, uma placa com o motivo da condenação. O crucarius, isto é, o crucificado, levava o Titulus Crucis amarrado ao pescoço durante o trajeto até o local da crucifica-

ritmos cósmicos e seguir ritualmente o caminho progressivo que leva à iluminação.

CRUZ

Na religião e na arte, a cruz é o símbolo geométrico mais rico e permanente, tomando diversas formas e significados ao longo de toda a História. Hoje, é sempre associado como o símbolo maior do Cristianis-

ção. O motivo da condenação que Joshua trazia ao pescoço indicava que ele fora condenado por se dizer "rei dos judeus".

Finalmente, ao chegar ao local da crucificação, geralmente fora dos muros da cidade, o crucarius era pregado pelas mãos – próximo do pulso – com cravos de aproximadamente 12 centímetros no patibulum e suspenso no poste vertical da cruz. Então, a vítima tinha seus pés pregados. A dor causada pelo rompimento do nervo médio da palma das mãos leva a um quadro conhecido como causalgia – uma das piores dores que um ser humano pode experimentar. Além disso, o esforço extremo para se mover e conseguir respirar provoca cãibras insuportáveis e cada vez mais intensas no corpo inteiro. Não bastasse isso tudo, o condenado tinha suas pernas quebradas.

A morte por crucificação não acontece, como se entendia há pouco tempo, por asfixia, mas por parada cardíaca e respiratória causada por choque traumático e hipovolêmico (perda de volume sanguíneo).

Exaltação da Cruz, de Piero della Francesca (c. 1464)

Wikicommons

mo, porém, na Antiguidade, era uma imagem do Cosmos reduzido aos seus termos mais simples – duas linhas se cruzando e formando quatro direções – os pontos cardeais, os quatro ventos, as quatro fases da lua e os quatro grandes deuses dos elementos.

A cruz também simbolizava a Árvore da Vida. O eixo vertical remete à ascensão, enquanto o eixo horizontal representa a vida terrestre, o que, nas tradições hindu e budista, é uma imagem dos estados elevados e inferiores. Na China, a cruz representava uma escada celestial e o número 10.

A veneração da cruz era tão difundida no mundo todo, que os missionários cristãos se surpreenderam ao entrar em contato com essas culturas, especialmente nas Américas. No México, a cruz era um emblema dos deuses do vento e da chuva, Quetzalcoatl e Tlaloc. Também são conhecidas imagens de crucificações rituais entre os astecas. Já na África, a cruz assume vários significados, como proteção, unidade cósmica, destino e, dentro de um círculo, soberania. Na Escandinávia, por sua vez, as cruzes marcavam o poder fertilizador do martelo do deus Thor.

A cruz celta, caracterizada por um círculo ao seu redor, sintetiza símbolos cósmicos cristãos e pagãos. No Egito, a cruz *ank*, a qual aparece sempre representada nas imagens dos faraós, simbolizava a imortalidade, e, a partir do período cristão, o símbolo foi adotado pela igreja copta.

Nos mundos romano, persa e judeu, a crucificação era uma forma brutal e humilhante de execução daqueles que não eram cidadãos de Roma.

DJED
Também chamado de Pilar de Osíris, esse amuleto significa "estabilidade" e representa a coluna vertebral de Osíris. Aparece muitas vezes em sarcófagos, ali colocado para garantir estabilidade ao morto. Também tinha, entre seus atributos, o poder de conferir fertilidade e regeneração. Por isso, o djed era um amuleto popular também na vida cotidiana dos egípcios.

DOMINAÇÕES

Considerados anjos da Segunda Esfera Angélica, são os governadores do Céu. Na hierarquia angélica elaborada pelo pseudo-Dionísio, o Areopagita, as dominações são tidas como "Senhores". Esses anjos, também chamados de *hashmalin*, organizam as tarefas dos anjos de posição inferior. Eles também são os anjos que protegem as nações – cada uma tem seu protetor. Assim, os anjos que protegiam as nações, mencionados pelo profeta Daniel, eram dominações.

Pseudo-Dionísio, o Areopagita

Um misterioso autor foi responsável pela criação de uma coleção de textos – o *Corpus Areopagiticum* – que exerceram uma forte influência na mística cristã da Europa ocidental da Idade Média até o final da Renascença. Nesses escritos, o autor se identifica como um membro do Areópago (um conselho de membros da aristocracia) da cidade grega de Atenas, chamado Dionísio. Dionísio havia sido o primeiro discípulo de São Paulo. Por conta disso, seus escritos assumiram um caráter quase apostólico durante toda a era medieval e parte da Renascença. Contudo, no século XVI, alguns teólogos começaram a duvidar da autenticidade dos textos. Eles perceberam que as ideias de Dionísio tinham marcada influência dos filósofos neoplatônicos, que postularam suas teses entre os séculos III e V d.C. De fato, seu tratado sobre anjos, o De Coelesti Hierarchi, segue um esquema semelhante ao Theologia Platonica, do filósofo neoplatônico Proclo Lício (412 – 485). Assim, os textos não podiam ser de Dionísio, o Areopagita, discípulo de São Paulo, pois este tinha vivido no primeiro século. A discussão arrastou-se por quase quatrocentos anos. Foi só no século XIX que os estudiosos aceitaram que os textos não eram mesmo da autoria de Dionísio, o Areopagita. Concluíram que foram escritos originalmente em grego, provavelmente por um teólogo bizantino entre os anos 480 e 520 e traduzidos para o latim pelo monge irlandês João Escoto (81 – 877). A partir de então, esses importantes escritos passaram a ser atribuídos ao pseudo-Dionísio, o Areopagita.

As dominações portam espadas, em cujos pomos há esferas de luz

As dominações só aparecem aos humanos muito raramente. A tradição cristã informa que têm a aparência de humanos divinamente belos e que ostentam um par de asas de penas – a representação mais tradicional dos anjos. Outra forma de distinguir as dominações de outros grupos de anjos é através das esferas de luz que eles trazem no pomo de seus cetros ou espadas.

Anjo, ou O Prelúdio do Anjo, do pintor lituano Mikalojus Ciurlionis (1909)

DRAGÃO

Como os dragões são símbolos benéficos no Oriente e maléficos no Ocidente, seu simbolismo tende a ser muito abrangente. Nos mitos e nas lendas, os dragões são equivalentes às serpentes, assumindo, portanto, o mesmo significado simbólico – na China, por exemplo, e também na Grécia, onde as cobras grandes são chamadas de drakonates, é este o caso.

É a associação entre o dragão e a vigília, um signo frequentemente utilizado na arte e evidenciado em muitas lendas nas quais os dragões aparecem como guardiões, em geral relacionados ao submundo e ao conhecimento oracular.

No mito grego, os dragões guardavam as maçãs douradas das Hespérides e o Velo de Ouro. O herói tebano Cadmio conseguiu chegar à nascente de Ares, o deus da guerra, matando o filho dragão do deus. O herói nórdico Sigurd e o anglo-saxão Beowulf também lutaram e abateram dragões que guardavam tesouros. Essas histórias sugerem que, nos mitos pagãos, o dragão é uma imagem do governante poderoso, cujas riquezas ele tomou à força. A tradição cristã foi responsável pela transformação do simbolismo do dragão, assumindo um significado do mal que contrapõe e desafia o fiel. O Livro da Revelação (12:9) identifica o dragão diretamente com "a velha serpente, chamada de demônio" e o relaciona com o pecado da blasfêmia.

Os dragões que foram derrotados por tantos santos, notadamente São Miguel, simbolizam a desordem e a descrença, bem como os males morais e a bestialidade primal. O dragão do imaginário medieval combina os simbolismos do ar, do fogo, da água e da terra – uma criatura com chifres, com pernas de águia, asas de morcego, o corpo coberto por escamas e uma cauda em forma de serpente que cospe fogo. Também aparece como serpente marinha, como em algumas pinturas de São Jorge, uma tradição que data das origens da iconografia sumério-semita. O herói grego Perseu também lutou contra um monstro marinho para salvar a princesa Andrômeda. Como uma imagem de terror, o dragão era um emblema popular entre os povos guerreiros, aparecendo em estandartes dos partos e romanos, esculpidos nas broas dos navios vikings, no mundo celta como símbolo de força soberana, nas bandeiras da Inglaterra anglo-saxã e País de Gales, onde o dragão vermelho ainda é símbolo nacional.

Na Ásia, particularmente na China, o dragão é um símbolo de poder sobrenatural livre de desaprovação moral. Colocado nas vestimentas, sua ondulação representa os ritmos generativos dos elementos naturais, particularmente, o poder do trovão que traz a chuva, representado na iconografia como uma pérola na boca do dragão. Esse simbolismo relacionado à chuva é encenado na procissão dos festivais de primavera, no segundo dia do segundo mês chinês, quando dragões de papel são levados em desfile em meio aos fogos de artifício. O dragão turquesa de cinco garras Lung era o emblema da dinastia Han e simbolizava o princípio ativo yang, o Leste, o sol nascente, a fertilidade, a alegria e os dons do conhecimento espiritual, além da imortalidade. Na maior parte da Ásia, relaciona-se predominantemente o dragão ao seu simbolismo da chuva, mas também é o mestre dos mares e dos rios e uma serpente celestial sem asas que aparece como o arco-íris. No Japão, o rei-dragão é uma figura proeminente no folclore local.

DRUIDAS

Júlio César, um dos mais importantes cronistas a relatar os costumes dos celtas da Gália, registrou a proeminência da ordem druídica entre esse povo. Os druidas representavam o clero organizado e exerciam grande poder sobre a sociedade, julgando questões de propriedade e de direito, mantendo a relação entre as esferas da sociedade e cuidando do aspecto espiritual em geral.

Os druidas "se ocupam com o culto divino, a correta execução dos rituais, tanto públicos como privados, e a interpretação de questões rituais", escreveu César em seu *As Guerras da Gália*. São eles, prossegue César, "que decidem quase todas as disputas; e se algum crime foi cometido, ou assassinato, ou se há alguma disputa sobre herança e propriedade, eles também decidem isso, determinando recompensas e penalidades." Os druidas, porém, tinham um líder, o grão-mestre – a maior autoridade da Ordem. Quando este morre, "qualquer um que seja proeminente o sucede, ou, caso haja vários na mesma posição, são eleitos pelo voto de outros druidas ou, até mesmo, disputam a posição pelas armas", relatou César.

Os druidas costumavam ter reuniões anuais, onde decidiam questões sobre a Ordem e ouviam as reclamações do povo. Os encontros eram determinados pelo movimento dos astros nos céus, assim como eram os festivais que eles realizavam. "Em certas épocas dos anos, esses druidas se reúnem próximos a Carnutes (a moderna cidade francesa de Chartres), cujo território é tido como o centro da Gália e têm um conclave num lugar sagrado", diz César. "Para ali vão todos aqueles que têm disputas, e eles obedecem às decisões e aos julgamentos dos druidas."

César também dá conta dos privilégios que os druidas gozavam e relata sobre o treinamento que recebiam. "Normalmente os druidas se mantêm distantes das guerras e não pagam impostos de guerra; são dispensados do serviço militar e isentos de todas as obrigações. Atraídos por essas grandes compensações, muitos jovens buscam ser treinados nessa Ordem; outros são enviados por seus pais e familiares." O treinamento dos druidas era tão rigoroso quanto longo. "Os relatos dizem que, nas escolas dos druidas, eles decoram muitos versos e, portanto, algumas pessoas ficam vinte anos sendo preparadas", atesta César. Era importante que os druidas conservassem os ensinamentos, fórmulas mágicas e poemas na memória, pois nada do conhecimento druídico era escrito. De acordo com o escritor britânico Robert Graves (citando a maior autoridade sobre os celtas antigos, o general romano Júlio César), "eles não julgam apropriado registrar as palavras (do seu conhecimento) por escrito, embora, para praticamente todos os outros assuntos, nos seus registros públicos e privados, eles usam letras gregas". Não se sabe exatamente o motivo desse costume. A história demonstrou que as grandes doutrinas foram corrompidas depois de terem sido escritas. Grandes mestres espirituais, notadamente Buda e Jesus de Nazaré não escreveram seus ensinamentos para preservá-los na sua forma mais pura. Foram seus discípulos – Ananda, no caso do primeiro, e os seguidores de Jesus, inclusive Maria Madalena – que registraram aquilo que seus professores pregavam. Depois de escritas, tanto a doutrina budista como a cristã foram interpretadas de formas diferentes, originando diversas seitas. César declara sua opinião pessoal para explicar o porquê os druidas não utilizavam a escrita para documentar sua tradição de sabedoria: "Creio que eles adotaram essa prática por dois motivos – porque eles não querem que sua regra se torne propriedade comum e porque não querem que aqueles que aprenderam a regra confiem na escrita a ponto de negligenciar o cultivo da memória; e, de fato, normalmente acontece que a ajuda da escrita tende a relaxar a diligência da ação da memória."

Wikimedia

A druidisa, de Alexandre Cabanel (s/d.)

Na tradição druídica, as sacerdotisas, ou druidisas, eram altamente respeitadas pelos celtas, pois conheciam o poder das palavras, pedras e ervas. As sacerdotisas cantavam aos moribundos para os adormecer, faziam encantamentos, profecias, feitiços, ajudavam nos nascimentos e faziam curas.

Havia seis tipos de druidas, distintas de acordo com suas funções:

Druida-Brithem

Eram os juízes na sociedade celta, pois eram os únicos conhecedores das leis, que não eram escritas.

Druidas-Filid

Representavam a mais sublime classe dos druidas. A função destes era ter contato direto com os deuses cósmicos. Esses mestres tinham uma consciência tão elevada ao ponto de não morrerem, apenas desencarnarem, tornando-se ancestrais divinizados na energia cósmica.

Druida-Liang

Eram os médicos e curandeiros. Dedicavam-se por mais de 20 anos em seus estudos antes de exercerem a profissão. Eram profundos conhecedores de ervas medicinais e possuíam especializações entre si, tais como os atuais médicos o fazem. Muitos destes druidas eram aptos cirurgiões, curando os gravemente enfermos.

Druida-Scelaige

Eram contadores de histórias. Como a escrita era proibida, precisavam decorar todas as histórias e canções, sob o risco de perder tal título. Recontavam as histórias contadas por outros scelaige, assim como as vivências dos druidas-sencha.

Druida-Sencha

Percorriam as terras celtas para acrescentar novas histórias aos druidas-scelaige. Recebiam o prestígio de pesquisadores e guardiões dos segredos.

Druidas-Poetas

Decoravam as histórias contadas pelos druidas-scelaige. Porém, ao contrário destes últimos, que repassavam as histórias apenas aos druidas, eles contavam ao povo, utilizando de mecanismos da poesia. A função principal desta classe era fazer com que a cultura celta perdurasse.

ELEMENTOS

Um complexo sistema de correspondências simbólicas surgiu relacionado às quatro – ou, por vezes, cinco – substâncias que constituem primariamente o Universo. Na tradição ocidental, muito influenciada pela filosofia grega, tais elementos eram a água, o ar, o fogo e a terra, aos quais somava-se o éter, ou a quintessência. O fogo era o agente da transformação de um estado para outro. Como os elementos eram vistos como a base da ordem e harmonia cósmicas, a medicina primeva buscava equilibrar as características físicas e temperamentais de cada elemento – fleuma, temperamento cerebral e fleumáticos (água); sangue, temperamento do coração e sanguíneo (ar); bile amarela, o fígado e o temperamento colérico (fogo); bile negra, o baço e o temperamento melancólico (terra). O ar e o fogo eram vistos como ativos e masculinos, enquanto a água e a terra, como passivas e femininas.

Na China, eram o grande centro difusor de conhecimento e cultura para grande parte da Ásia, um sistema correspondente baseava-se nos cinco elementos taoístas: água, fogo, madeira, metal e terra, equilibrados pela dualidade do princípio ativo e masculino – *yang* (ar e fogo), e passivo e feminino – *yin* (água, metal e terra). O sistema simbólico indiano também possui elementos que representam os estados cósmicos de vibração. Nessa tradição, são cinco elementos: *akasha* (éter); *apas* (água); *vayu* (ar); *tejas* (fogo); e *prithivi* (terra).

Na arte ocidental, a água é personificada por um jarro virado ou por deuses do mar e dos rios; o ar, por Juno, ou por uma mulher com um camaleão; o fogo, pela fênix, Vulcano ou uma mulher com a cabeça em chamas; a terra, por uma mulher com os símbolos da fertilidade, ou usando a coroa de Cibele.

ESCARAVELHO

Um dos símbolos mais famosos dos antigos egípcios, o escaravelho sagrado remete ao deus egípcio do Sol – Kepri – e surge em alguns mitos de criação como a imagem cíclica da imortalidade, uma representação da vida e da renovação da energia. Essa imagem deriva do fato de o escaravelho carregar bolas de estrume, assim como as forças cósmicas movimentam o solo, e de o inseto deixar seus ovos em vários animais, significando renascimento. Acreditava-se que ele protegia contra os maus espíritos e era, por isso, utilizado nos funerais para proteger o coração e a alma do morto.

Escaravelho com asas separadas (datado entre os séculos VIII e IV a.C.)

FÊNIX

O símbolo mais famoso relacionado ao Renascimento – um pássaro que ressurge infindavelmente das próprias chamas –, a lenda da fênix teve suas origens na cidade de Heliópolis, antigo centro egípcio do culto ao sol, onde sacrifícios eram realizados para o deus Benu. Tais rituais de fogo e as descrições dos pássaros exóticos influenciaram os viajantes e escritores gregos a criar histórias que variam nos detalhes, mas cujo sentido geral é semelhante. A fênix era um pássaro macho de longevidade miraculosa – 500 anos ou mais. No final desse período, a fênix construía um ninho com ervas aromáticas, e ateando fogo ao ninho, imolava-se, renascendo três dias depois. A ave ressuscitada levava as cinzas do seu corpo da encarnação anterior e o ninho até Heliópolis, onde os ofertava no altar do Sol.

Inicialmente, a fênix era um símbolo de desaparecimento e ressurgimento cíclicos, tornando-se imediatamente um emblema da ressurei-

A fênix é o símbolo mais famoso relacionado ao Resnascimento

ção humana, evoluindo também para incluir a ideia do espírito humano insuperável diante dos desafios.

Nas moedas romanas, a fênix simbolizava o império imortal. Aparece nas esculturas funerárias do Cristianismo primitivo como símbolo da ressureição de Cristo e da vitória sobre a morte. Na iconografia medieval, representa a natureza divina de Cristo, geralmente junto a um pelicano, símbolo da natureza humana. A fênix também pode representar um atributo à caridade. Na alquimia, remete ao fogo purificador e transformador, ao elemento químico enxofre e à cor vermelha.

G.A.D.U.

Os Maçons entendem Deus como o Grande Arquiteto do Universo, ou G.A.D.U., como costumam abreviar. Em certos atos litúrgicos da Maçonaria, é feita alguma oração, mas o louvor próprio à divindade limita-se à glorificação. É por isso que muitos ritos maçônicos trabalham para a "Glória do Grande Arquiteto do Universo".

No entanto, há diferenças entre o Deus cristão e o Grande Arquiteto do Universo. Para os Maçons, o Grande Arquiteto tem as características de um arquiteto comum. Na prática, o arquiteto cria um projeto e não o executa, pois ele precisa da colaboração de uma equipe: desenhistas, mestres, pedreiros e serventes. O arquiteto se limita, de fato, apenas ao "projeto".

Deus, o geômetra (manuscrito, c. 1220 - 1230)

Wikimedia

Como o Deus bíblico, os maçons entendem que Deus projetou a Terra e o Universo, ou melhor, os Universos, mas o G.A.D.U. maçônico tem a propriedade de ser "uno", ou seja, não possui a Trindade Cristã.

Esse conceito de Deus como o Grande Arquiteto do Universo implica na existência de "outros Arquitetos". Para os maçons, cada iniciado tem em si parte do Grande Arquiteto e cada membro da fraternidade será um Arquiteto, não independente, mas "submisso" ao G.A.D.U.

GAYATRI

Um dos escritos considerados entre os mais santos do Rig Veda (vide Vedas), declamado em diversas ocasiões; o Gayatri, o verso solar, é um mantra empregado para invocar iluminação espiritual:

Faz com que pensemos na brilhante luz do deus do sol;

Que ela aumente nossa compreensão.

GIGANTE

Um símbolo de adversidade com algumas semelhanças à simbologia do dragão nas mitologias ocidentais, provavelmente oriundas das memórias de antigos inimigos tribais. Normalmente retratados como criaturas brutais, agressivas, estúpidas e desajeitadas, os gigantes são conquistados nos mitos quase sempre por uma combinação do esforço divino e humano, às vezes pela coragem e astúcia de algum herói. As antigas lendas dos dragões podem ser vistas como alegorias do esforço pela evolução social e espiritual contra forças primitivas ou contra os poderes elementais da terra. Os gigantes nórdicos, por exemplo, personificam os poderes do fogo e do gelo.

Em diversas cosmogonias, a destruição de uma raça de titãs ou gigantes é retratada como o primeiro estágio do processo de criação – um simbolismo sacrifical que remete às figuras gigantescas de madeira onde eram colocadas vítimas humanas e animais em alguns rituais pagãos do solstício de verão. Na Psicologia, devido ao seu exagerado tamanho físico, os gigantes são vistos como ícones da autoridade dos pais, particularmente do pai.

Wikicommons

O gigante Antaeu, de Gustave Doré (c. 1868)

GLOBO

Domínio do mundo ou autoridade absoluta – um emblema de poder que data pelo menos da época do Império Romano. O globo compartilha com a esfera o simbolismo da totalidade, seu atributo popular na arte são as qualidades universais da verdade, fama, fortuna e abundância na justiça, filosofia e nas artes liberais. O globo também é o atributo de divindades onipresentes, como Zeus (Júpiter no mito romano), Eros (Cupido), Apolo e Cibele. Na iconografia cristã, Deus aparece frequentemente segurando o globo, ou de pé sobre um. Um orbe com uma cruz acima representa o domínio de Cristo e era um emblema dos imperadores do sacro-império, sendo que ainda é usado pelos soberanos britânicos. Imperadores, reis ou líderes espirituais (como o Papa) normalmente seguram um globo na mão esquerda em determinadas cerimônias. Um globo coroado representava a pedra filosofal na alquimia. Um globo com estrelas é o atributo de Urânia, a musa da Astronomia.

GRAAL, SANTO

Até o final do século XII, a Igreja não permitia a Elevação da Hóstia para a congregação. O mistério sagrado não podia ser desvelado. No entanto, todos podiam ver o cálice, ou graal, que a continha. Era, depois da cruz, provavelmente, o símbolo máximo do ideal cristão e da sua promessa de salvação. O graal fazia parte do despertar espiritual da cristandade ocidental da Idade Média. Era o vaso redentor, transbordante de graça, que todo cristão deveria encontrar para se regenerar e atingir a vida eterna. E essa peregrinação simbólica que o fiel deveria empreender em busca da própria salvação imbuiu o ideal de uma época, extrapolando seu sentido religioso e imiscuindo-se em todos os estratos culturais da alta Idade Média – da literatura ao relacionamento amoroso, do ideal dos cruzados à profissão da fé cristã.

Somente um cavaleiro sem pecado podia alcançar o Graal, e o caminho para se atingir essa meta era atribulado e perigoso, marcado por lutas e julgamentos, testes e dificuldades. Simbolicamente, o cavaleiro tinha de sobreviver a uma Última Ceia, onde se sentava no lugar vazio de Judas, o Local Perigoso. Se fosse um pecador, seria devorado. Se fosse imaculado, podia procurar o Graal. A virtude do cavaleiro prova-va, igualmente, a crença gnóstica de que Judas também era um santo, pois sem sua traição, o Cristo nunca seria pregado na cruz.

Essa crença se instilou enquanto prática entre os guerreiros cris-tãos do final do período medieval. Meio monges e meio guerreiros, os membros das ordens militares que surgiram durante as Cruzadas viam a si mesmos como os cavaleiros do Graal, especialmente os templários. De fato, os Cavaleiros do Templo do Rei Salomão, mais conhecidos como templários, foram identificados como os mantenedores do Graal em pelo menos dois romances medievais.

O Graal, porém, não era um ícone puramente cristão. Ao contrá-rio, ele veio se transformando enquanto símbolo durante séculos. Há uma forte influência celta (o povo que habitava grande parte da Europa Ocidental antes de ser conquistado e aculturado pelos romanos) nas lendas do Graal, particularmente no que se refere à jornada que o fiel deveria fazer para encontrar o Cálice da Salvação. Na literatura mítica irlandesa – que melhor conservou os usos e costumes celtas –, trata-se de uma viagem à terra para onde iam os heróis mortos, a Ilha de Hy Brazil, onde ninguém jamais envelhecia e onde a abundância era fato. Os mesmos elementos do ciclo do Graal estão presentes nas lendas irlandesas. Todas as maravilhas encontradas no castelo do Rei Pesca-dor da lenda do Graal também eram encontradas no castelo do deus Lugh – o Apolo celta. Entre os tesouros de Lugh há vários elementos relacionados ou até mesmo presentes na lenda do Graal: uma lança ensanguentada, um cálice que jamais se esvaziava, um caldeirão que podia alimentar um exército e continuar transbordando iguarias in-findavelmente, uma espada inconquistável e uma pedra caída do céu. Essa pedra é a tradicionalíssima pedra de Scone, atualmente na Aba-dia de Westminster, em Londres, e sobre a qual, antigamente, todos os reis irlandeses, depois escoceses e, mais recentemente, ingleses foram coroados.

A versão galesa da lenda do graal, chamada de Peredur, remete ao culto da cabeça decepada dos antigos celtas. Entre os celtas, a cabeça

Do caldeirão de Lugh ao Graal de Maria Madalena

O aspecto do Graal mudou ao longo dos séculos, moldado diferentemente, conforme a tradição que adotava o símbolo. Entre os celtas, era o caldeirão da abundância, que nunca se esvaziava. Na Idade Média, aparece como uma taça de ouro puro cravejada de joias, ou como um prato grande o bastante para conter um peixe – o símbolo da fé cristã – e também pequeno o suficiente para conter uma única hóstia do corpo de Cristo usada na missa. Em essência, o Graal remete à restauração de energia e rejuvenescimento. Como no milagre dos pães e peixes, o Graal podia prover comida e bebida infinitamente e era, igualmente, a fonte da juventude.

humana era venerada acima de tudo, pois, para eles, a cabeça era a alma, o centro das emoções e a própria vida; um símbolo do divino e dos poderes sobrenaturais. Por isso, os celtas decepavam as cabeças dos inimigos, embalsamavam-nas e as veneravam como objeto de culto. Como um eco dessa tradição, em Peredur, o graal era uma bandeja na qual uma cabeça decepada flutuava no seu próprio sangue.

No Cristianismo místico, ou gnóstico, tremendamente em voga durante a época das Cruzadas, por conta das informações teológicas trazidas da Terra Santa, o Graal tem papel destacado. No texto apócrifo Evangelho de Nicodemos, Maria Madalena é a portadora do Graal. De fato, o Graal é um símbolo dessa santa, sempre presente nas pinturas que a representam. Maria Madalena aparece no Evangelho de João ungindo os pés de Jesus com um unguento caríssimo, o qual ela guardava num vaso de alabastro. Desde então, está sempre associada ao Graal. A relação de Madalena com o vaso, porém, é mais profunda. Ela é o ícone que funde em si algumas tradições da Antiguidade com as novas perspectivas cristãs. Maria Madalena é, no Cristianismo místico, o arquétipo do profundo feminino, aquela por meio da qual a vida se realiza. A mulher detém a sabedoria cósmica, pois traz em si a abundância da existência: é ela quem gera, nutre e acolhe; é a mulher quem cuida, preserva e civiliza. O vaso, a taça, o caldeirão ou o Graal espelha

Maria Madalena, a portadora do graal (Detalhe da Deposição da Cruz, de P. Verkade [1927] na igreja dos Carmelitas em Döbling)

essa característica feminina. A forma de um vaso, ou de uma taça, em geral, remete às curvas femininas; o fato de conter água também espelha a mulher, pois a água é um dos seus símbolos; e, por ser usado para servir iguarias e delícias, evoca a abundância que vem do feminino.

O vaso de alabastro, o Graal, usado por Madalena para ungir os pés de Jesus no Evangelho de João passou a ser, em algumas tradições, a própria santa. Seu corpo – como o de toda mulher – era o próprio Graal. Os evangelhos apócrifos revelam que havia um amor especial entre Jesus e Madalena, uma intimidade que o permitia beijá-la na boca em frente aos discípulos, um tipo de afeto característico entre marido e mulher. Por conta disso, certas lendas da Provença (região da França onde floresceram tradições gnósticas durante o período das Cruzadas, como os cátaros) afirmam que Maria Madalena era o Graal com o sangue de Jesus, isto é, seu ventre fecundo do Sangue Real, ou Santo Graal, de Cristo. Em versões posteriores, o vaso não era mais o recipiente que continha o raro bálsamo usado por Maria Madalena para ungir os pés de Cristo, tornando-se o cálice da Última Ceia, que depois José de Arimateia usou para recolher o sangue que, durante a crucificação, esvaía das feridas do Cristo. Foi José quem levou o Graal para a Grã-Bretanha e o deixou em Glastonbury, de onde alcançou o Rei Artur e os Cavaleiros da Távola Redonda. Mais tarde, tornou-se o cálice ou a taça da missa, contendo o Sangue do Salvador, ou seja, a Hóstia. A alegoria era agora mais cristã que celta.

GRAAL, BUSCA PELO (LENDA ARTURIANA)

De metáfora para um uma realidade não tangível por meio das palavras, o Graal se transformou num objeto mágico, cuja posse é cobiçada por aqueles que creem que ele seja realmente concreto. A relação entre a história do Graal e as ordens militares da Igreja, principalmente com os templários, deixa claro as novas informações teológicas trazidas do Oriente Médio que começaram a dar um novo tom ao Cristianismo ocidental. Esse conhecimento científico, filosófico e teológico era um verdadeiro tesouro e mudou a face da Europa, abrindo espaço para o Renascimento e criando condições para se iniciar a Era dos Descobrimentos, lançando a Europa à frente das outras regiões do globo. Há, porém, aqueles que acreditam que os templários eram realmente

A busca pelo Graal é tema recorrente dos contos medievais

os guardiões do Graal e que o esconderam, quando a ordem foi pronunciada ilegal pelo Papa, em 1307. Muitos dos membros da ordem conseguiram fugir e se refugiaram em Portugal e na Escócia, para onde teriam levado seu misterioso e cobiçado tesouro. A atual ordem dos cavaleiros templários da Escócia possui uma taça cravejada de joias da Idade Média, que pode ter vindo do tesouro que os templários trouxeram até o país.

Há, porém, outros Graais "verdadeiros" e não só na Grã-Bretanha, para onde José de Arimateia teria levado a relíquia. Uma velha taça de madeira, erodida pelos lábios dos crentes, em Nanteos, no norte do País de Gales, é considerada pelos fiéis como o verdadeiro Graal. O compositor alemão Richard Wagner a viu antes de escrever sua ópera sobre o Graal Parsifal, embora sua obra derive do trabalho de Wolfram von Eschenbach. Existe, também, a Tigela de Glastonbury, feita de bronze e mantida em Tauton. A taça milagrosa de Santa Elizabete da Hungria, cujo pai foi o patrono do texto de Parsifal, também disputa a posição de Graal verdadeiro.

Um exame mais profundo dessas relíquias provavelmente revelará como aconteceu com o Sacro Catino, uma tigela de esmeralda tomada pelos cruzados genoveses depois do cerco de Cesárea, em 1101. Esse troféu da Terra Santa era também chamado de Santo Graal. No entanto, quando Napoleão tomou Genova, fez com que a tigela fosse examinada em Paris, onde provou ser vidro verde. Mais que um objeto, como afirmam os romances, o Graal é um símbolo que remete a uma realidade maior, espiritual e, ao mesmo tempo, repleta de coisas terrenas, como o amor entre o homem e a mulher. A busca por ele é uma cruzada para descobrir a alma e o divino, bem como conquistar a paz e a abundância.

HALO
Uma radiação circular muito usada na arte cristã entre os séculos V e XV para simbolizar a divindade ou santidade da Trindade, da Santa Família, dos santos e anjos. O símbolo, baseado na auréola ao redor do disco solar, foi adaptado das imagens pagãs de deuses solares ou de

governantes divinizados, particularmente da iconografia do mitraísmo, que o Cristianismo suplantou no Império Romano.

HARPA

Pureza e poesia – o instrumento dos coros angelicais, do rei Davi, proeminente no mundo celta, onde é emblema da Irlanda e do País de Gales. Dagda, o grande deus-pai celta, tocava uma harpa mágica. As cordas da harpa formavam uma escada que simbolizava a ascensão ao paraíso nas lendas norueguesas e islandesas. No painel que representa o inferno, no quadro *O Jardim das Delícias Terrenas*, pintado em aproximadamente 1495, Bosch usou a harpa como imagem da angústia espiritual, ao representar uma figura crucificada nas suas cordas.

Shutterstock

A harpa simboliza poesia e pureza

HIRAM

A decoração do templo de Salomão, com seus inúmeros relevos, colunatas elaboradas e inovações arquitetônicas é atribuída ao artista e arquiteto Hiram de Tiro. Filho de mãe judia e pai fenício, Hiram era, de acordo com o Livro de Crônicas, capítulo 2, "habilidoso no trabalho com ouro, prata, bronze, ferro, pedra, madeira, no fino linho e em púrpura; também para realizar qualquer tipo de gravação, e para criar toda ferramenta que precisar". Dizem que as lendárias ferramentas de Hiram podiam furar a pedra. Conforme o Livro de Reis 6:7, "nem martelo, nem machado, nem qualquer outra ferramenta de ferro foi ouvida na casa enquanto estava sendo construída". A proibição do uso de ferramentas dentro do templo vinha de uma orientação que Moisés recebera de Deus para fazer um altar de pedra sem meios mecânicos. Hiram teria cortado as pedras do templo e feito seus relevos e estátuas através do domínio que exercia sobre Shamir, um verme gigante que podia cortar pedras.

Uma das principais características do templo de Salomão eram as duas colunas do pórtico, chamadas Jaquim e Boaz. Essas colunas se tornariam uma característica das futuras lojas maçônicas. Jaquim e Boaz foram, provavelmente, copiadas dos dois obeliscos que costumavam ficar na frente de muitos templos egípcios.

Wikimedia

Hiram em vitral na catedral de Chester, Inglaterra (s/d.)

O altar do templo era feito de bronze, suspenso por doze touros do mesmo material. Como nos templos etruscos da Idade do Bronze, placas de metal foram usadas na decoração, fazendo o templo de Salomão brilhar. A ideia era que o intenso brilho refletisse a glória do Deus de Israel.

Provavelmente, o desenho do templo de Salomão tenha sido baseado num templo fenício do século X a.C. Isso não seria estranho, uma vez que o mestre projetista Hiram veio de Tiro, na Fenícia.

Embora não se conheça nada além de descrições do edifício, o templo de Taïnat, na Síria, pode fornecer um paralelo grosseiro: duas colunas sustentando um pórtico diante de uma câmara externa, levando a uma câmara interior escura com um altar, a figura total é um retângulo.

Depois da construção do templo, todos os trabalhadores foram mortos para que não construíssem outro devotado à idolatria, enquanto Hiram foi elevado ao céu.

Quando Salomão morreu, as tribos do norte de Israel se revoltaram, e o fluxo de peregrinos a Jerusalém diminuiu drasticamente. Os sacerdotes e levitas, porém, congregavam-se no centro religioso da fé. O desastre caiu sobre as tribos do norte quando o reino de Israel foi conquistado em 722 a.C. pelos assírios. Dez das doze tribos foram deportadas e desapareceram da História. Os remanescentes se juntaram a Josias, que de novo unificou as tribos judias por meio da sua ênfase na singularidade do templo de Salomão. No exílio, os judeus se reuniam numa pequena casa de orações para ler seus textos sagrados e celebrar o seu Senhor. Esse foi o embrião das atuais sinagogas.

ÍBIS

Sabedoria. O ibis sagrado do Antigo Egito era reverenciado como uma encarnação da divindade lunar Thoth, deus patrono dos escribas e senhor do conhecimento oculto. O simbolismo religioso do íbis era

O deus da sabedoria egípcio Thot tinha cabeça de íbis

provavelmente baseado nos hábitos dessa ave de bico curvo que lembra, de certa forma, a lua crescente. Aparece com frequência na iconografia egípcia e era mumificada e colocada nos túmulos reais para dar instrução sobre os mistérios da existência após a morte.

ÍCONE

Imagens evocativas utilizadas no Cristianismo ortodoxo, os ícones foram criados a partir da tradição bizantina. O objetivo dos pintores bizantinos, que pintavam os ícones com cores puras, era manter um limite rígido entre o mundo espiritual e o sensorial, isto é, o mundo humano. Apesar do realismo das imagens, sua intenção não é ser uma representação fiel daquilo que se vê, mas sim refletir uma realidade transcendental sobre a qual o observador pode meditar.

Os ícones são "imagens portáteis" pintadas sobre madeira. Por isso, tiveram uma propagação incrivelmente rápida: além de evocativos, eram fáceis de serem transportados. Heinrich Schliemann (1822 – 1890), o alemão que desenterrou Troia e por isso mesmo é considerado o pai da Arqueologia, dizia a respeito da sua esposa grega Sophia, que o acompanhava em todas as suas escavações, que "ao colocar seus ícones sobre algum móvel ou, até mesmo, sobre um simples baú, ela era capaz de transformar qualquer barracão em um lar".

A partir do século V d.C., os conventos russos, iugoslavos, macedônios, gregos e até mesmo italianos e franceses utilizaram essas pinturas evocativas. Os ícones "se tornaram o meio mais comum de difusão da arte e do gosto bizantino", escreveu Gina Pischel no seu abrangente *História Universal da Arte*.

Ao contrário da pintura que se desenvolveu na Europa Ocidental, os ícones têm uma extrema redução do conceito espacial. A luminescência das figuras também salta aos olhos. Os retratos, sempre em posturas transcendentais e retratadas de frente, são representações de homens e mulheres em estado de graça mística. Uma inspiração ao fiel que, ao vê-los, é tocado pela verdade brilhando nos olhos das imagens daqueles que encontraram em si próprios o aspecto divino que habita em todos nós.

Shutterstock

Ícone russo

INCENSO

Pureza, virtude, doçura, preces que se elevam. Desde os primeiros tempos da civilização, queimar resinas perfumadas, madeiras, plantas ou frutos secos tem sido um dos ritos mais universais para honrar divindades. A literatura e a iconografia sacras sugerem que o incenso era usado orginalmente para perfumar o ambiente de sacrifícios ou piras funerárias, mas posteriormente passou a ser usado puramente como oferenda simbólica, compartilhando o significado emblemático da fumaça como um elo visível entre o céu e a terra, a divindade e a humanidade. O incenso e a mirra, dois dos presentes que os reis magos ofereceram a Jesus quando o foram visitar depois do nascimento, eram produtos altamente valorizados no antigo Oriente Médio.

Nas civilizações do Egito, da Pérsia e no mundo sumério e semita, bem como posteriormente na Grécia e em Roma, queimava-se incenso como parte dos cultos diários. No Oriente, usava-se madeira de sândalo. Na América Central, o incenso, quase sempre resina de copal, também assumia o significado de fecundidade, invocando chuva por meio

O incenso é um dos ritos mais universais para honrar divindades

Shutterstock

da associação entre a fumaça e as nuvens. A resina era um símbolo da incorruptibilidade. A igreja cristã também emprega amplamente o incenso em suas cerimônias.

JADE

Energia cósmica, perfeição, virtude, pureza, poder, autoridade, incorruptibilidade, imortalidade – a pedra do Senhor do Céu chinês e dos imperadores. A tradição chinesa associa o jade a todo um espectro de virtudes: pureza moral; justiça; verdade; coragem; harmonia; lealdade; e benevolência. Embora seja um emblema solar e masculino, a lisura do jade também o relaciona com a beleza e maciez do corpo da mulher e do ato sexual. Sua dureza e durabilidade fizeram com que o pó de jade fosse usado em rituais mágicos para prolongar a vida. Esse simbolismo também é observado nos diversos amuletos de jade colocados nos corpos dos mortos para que fossem preservados. Na alquimia chinesa, acreditava-se que o jade era um tipo de pedra aperfeiçoado e, nesse sentido, substituía o ouro como emblema de pureza.

JAVÉ

Um dos traços principais do culto de Javé era o fato de sua imagem não poder ser reproduzida. Por vezes, aparecia num templo erigido pelos homens; por outras, manifestava-se pela natureza. Com o desenvolvimento da religião dos hebreus, ele passa a ser visto como um Ser transcendente e onipresente. Mais tarde, essa tradição enfatizou a fuga do Egito, liderada pela figura heroica – e misteriosa – de Moisés, que teria aberto o mar para os hebreus passarem. O relato bíblico da passagem pelo Monte Sinai poderia ser considerado o momento crítico em que a consciência do povo hebreu é criada. Quando Moisés dá aos israelitas os Dez Mandamentos recebidos de Javé, a aliança entre o Senhor e o seu povo se renova.

Jihad

Entre os preceitos básicos da *suna*, o livro onde se encontram as bases da tradição muçulmana, está a *jihad*. Por vezes mal compreendida, a jihadou *djihad* pode ser realmente traduzida como "Guerra Santa". Segundo o filósofo franco-argelino convertido ao islamismo

Roger Garaudy, "há duas grandes formas de se fazer a Guerra Santa preconizada pelo Profeta: a 'Grande *jihad*', ou luta contra o ego, e a 'Pequena *jihad*', que é a busca de persuasão do infiel aos caminhos do Profeta". Garaudy lembra que, no islamismo, "idolatria é adorar como se fosse Deus algo que não é Deus". Nesse sentido, a egolatria é uma das formas mais condenáveis de idolatria, e a Grande *jihad* volta-se a dar combate a esta forma de idolatria. A "Pequena *jihad*" busca, principalmente pela persuasão, mas à força, se necessário, proteger e trazer novos crentes para o Islã.

KIPÁ

A kipá, ou o solidéu, é uma indumentária tipicamente judaica. Vários símbolos estão ligados ao judaísmo como a Maguen David, a Estrela de David, o candelabro de sete braços Menorá e o xale de orações Talit. Contudo, a kipá é o ornamento que mais caracteriza o judeu.

Muitas controvérsias estão relacionadas à origem da kipá. Na Torá, não há nenhum versículo que regulamente o seu uso. A utilização é, portanto, muito mais consuetudinária do que especificamente uma lei. No judaísmo é muito habitual que o costume tome um status de lei.

A kipá é colocada sobre a cabeça do homem para lembrá-lo da Presença de Deus (Deus). Há pessoas que pensam que sua cabeça, seu intelecto e sua inteligência são o que há de mais importante no mundo e esquecem-se do Ser Superior. Ao cobrir a cabeça, a pessoa reconhece que existe uma autoridade suprema. Às mulheres não se imputa a obrigação de usar a kipá, pois possuem uma sensibilidade

Shutterstock

Yarmulke, um tipo de kipá tradicional judeu

intrínseca para Deus; apesar de as judias ortodoxas serem obrigadas a cobrir a cabeça com um véu, uma vez casadas.

Quando na cabeça do homem, a kipá o lembra que o mundo está dividido em dois: o que está abaixo dela, logo um espaço mais limitado, pertence ao ser humano; o que está acima dela, ao contrário, um espaço infinitamente mais amplo, pertence a Deus. É um símbolo, também, de humildade. A própria utilização da kipá transforma as atitudes. Sem ela, a interação indivíduo-homem-mundo é uma, com ela, a sensação de responsabilidade e de reflexão sobre as atitudes a serem tomadas é outra. Ou seja, o judeu fica mais consciente de seus atos.

A kipá pode ser feita de qualquer material: pano, do linho ao veludo; tricô ou mesmo de papel. As cores vão do sóbrio preto ao mais colorido possível. Sem enfeite ou com motivos até de desenhos animados para kipot [plural de kipá] infantis. A kipá adulta deverá ter o tamanho de um punho fechado, porque corresponde ao tamanho do coração de uma pessoa daquela idade. Obviamente, as de bebês serão um pouco menores.

Deve-se usá-la ao orar ou rezar, seja no lar, na sinagoga, no cemitério ou em outro ambiente qualquer. Todavia, pode-se colocar a kipá cotidianamente, ou para ir ao trabalho, à escola, ao supermercado ou a outro lugar qualquer. Assim, obedece-se a dois princípios: o mais básico, de mostrar a todos a judeidade; e o segundo, o mais amplo, assim como Deus está em nossas vidas a todo instante, a kipá se faz presente nos lembrando diariamente, mesmo em momentos não religiosos, de que Ele está acima de nós.

KOAN

Uma das características mais intrigantes do zen budismo é o uso que se faz de um estranho recurso para treinamento espiritual: o koan. De forma geral, koan quer dizer "problema", mas os problemas que o zen delineia são – para dizer o mínimo – fantásticos. À primeira vista, parecem nada menos que o cruzamento entre uma charada e uma piada sem nenhum sentido intencional. Por exemplo:

Li-ku, um oficial de alta patente da dinastia T'ang, perguntou a um famoso mestre:

– Há muito tempo, um homem mantém um ganso numa garrafa. Ele cresceu cada vez mais até que não podia sair mais da garrafa. O homem não queria quebrar a garrafa, nem queria machucar o ganso. Como você o tiraria de lá?

O mestre ficou em silêncio por alguns momentos e então gritou:

– Ó oficial!

– Sim.

– Ele está fora!

Ou ainda:

Um mestre, Wu Tsu, diz:

"Mesmo que nossa tendência seja considerar esses enigmas absurdos, o praticante do zen deve concentrar toda a força da sua mente na solução desses problemas, esperando até que uma resposta aceitável surja. Às vezes o estudo de um único koan pode demorar tanto quanto uma dissertação de doutorado. Durante esse tempo, a mente está intencionalmente trabalhando, mas em um nível muito especial."

Esse trabalho todo tem a ver com o fato de que o zen budismo considera a razão limitada e preconiza que ela deve ser suplementada com outra forma de conhecimento. De acordo com Huston Smith, autor do best-seller *Budismo: Uma Introdução Concisa*, "para o zen, se a razão não for uma bola presa a uma corrente, ancorando a mente à terra, ela é uma escada baixa demais para alcançarmos a altura total da verdade". A razão deve, portanto, ser ultrapassada, e é justamente para se atingir essa meta que os koans se destinam. Sua intenção é perturbar a mente, desequilibrá-la e, finalmente, provocar revolta contra os padrões que a aprisionam. "Ao forçar a mente a lutar contra aquilo que do ponto de vista normal é um absurdo completo, ao compelir a mente a unir coisas que são normalmente incompatíveis, o zen busca levar a mente a um estado de agitação, o qual a joga contra sua prisão de lógica como um rato encurralado", escreve Smith. Dessa forma, por meio do paradoxo e de falsas conclusões, o zen provoca, excita, exaspera e finalmente exaure a mente até que ela perceba que o raciocínio não é a única forma de se acessar conhecimento e sabedoria.

LEÃO

Significa poder solar divino, autoridade real, força, coragem, sabedoria, justiça, proteção; mas os aspectos negativos desse símbolo incluem crueldade, ferocidade e morte. O leão é uma imagem do que há de grande e terrível na natureza, uma personificação do próprio Sol. Aparece tanto como destruidor quanto como salvador, investido com um dualismo divino e capaz de representar o mal e sua destruição. O tema da caçada de leões pelos reis no Oriente Médio simbolizava a morte e a ressureição, a continuação da vida assegurada pela morte de um animal semelhante a um deus. Em algumas representações artísticas, o leão parece oferecer-se em sacrifício e a divindade do rei que o está caçando é sugerida pelo modo como agarra as patas do animal – uma imagem arquetípica da coragem humana. No Cristianismo, o aspecto majestoso do leão é relacionado ao Evangelho de Marcos, que retrata a realeza de Jesus; daí o termo "O Leão de São Marcos". O leão também é um símbolo de poder real, domínio, vitória militar, bravura e vigilância.

LIBERDADE

A liberdade é normalmente representada na arte por uma mulher segurando um cetro e usando um gorro frígio – uma referência ao costume romano de presentear os escravos libertados com gorros. O gorro tornou-se um emblema popular da Revolução Francesa e pode ser visto, embora de modo estilizado, também na Estátua da Liberdade, em Nova York. Outros símbolos de liberdade são o acrobata, os sinos, as correntes partidas, o gato, a águia, o falcão, o peixe, os cabelos compridos e as asas.

LIVRO EGÍPCIO DOS MORTOS

O Livro Egípcio dos Mortos foi o conjunto de escritos mais utilizado em rituais fúnebres dentro da história egípcia. Repleto de fórmulas

Detalhe do Papiro de Hunefer, livro elaborado
para o escriba Hunefer (c. 1285 a.C.)

mágicas, poesias, orações e hinos, foi escrito por diversos autores desconhecidos ao longo de um vasto tempo.

A origem desta obra é desconhecida, contudo seja bem provável que os egípcios pré-dinásticos, os mais primitivos povos do Egito, sejam seus fundadores. Depois do processo de mumificação, começavam os ritos religiosos: textos sagrados do Livro Egípcio dos Mortos eram recitados, e amuletos sagrados colocados no sarcófago. Uma máscara era encaixada na múmia, com o nome, ou Ren, do indivíduo escrito em hieróglifo.

LÓTUS

Uma flor com significado simbólico prolífico, particularmente nas tradições do Egito, Índia, China e Japão. Sua importância baseia-se tanto na beleza das suas pétalas e na analogia destas com uma forma idealizada da vulva como fonte divina da vida. Por extensão, o lótus veio simbolizar, entre outras coisas, nascimento e renascimento, a origem da vida cósmica, os deuses criadores ou solares. Também representa o crescimento espiritual e o potencial da alma de atingir perfeição divina – uma vez que suas raízes estão em contato com o lodo, enquanto suas pétalas se abrem para o céu.

MANÁ

Graça divina – simbolismo relacionado ao alimento miraculoso que sustentou os filhos de Israel durante 40 anos no deserto (Êx. 16). O Cristianismo adaptou o simbolismo do "alimento dos céus" dos judeus à ideia do "pão da vida" mencionado por Cristo em João 6:31 – 35.

MANDALA

Ordem espiritual, cósmica ou psíquica. Embora as mandalas indianas tenham se tornado famosas como estímulo nos exercícios de meditação, essas representações circulares também têm sentido iniciático no hinduísmo e no budismo e buscam fornecer uma imagem da realidade suprema – uma completitude espiritual que transcende o mundo das aparências. O significado de mandala, palavra de origem sânscrita, é "círculo", e, mesmo quando emolduradas ou dominadas por quadrados ou triângulos, as mandalas têm estruturas concêntricas. Simboliza progressão em direção a um centro espiritual, tanto mental como físico, uma imagem usada nas estruturas de muitos templos ou stupas.

MÁSCARA

Transformação, proteção, identificação ou disfarce. O simbolismo mais antigo relacionado à máscara é o da incorporação de uma força sobrenatural por um xamã que a utiliza como objeto ritual para invocar seus guias espirituais. As primeiras máscaras de animais foram usadas para capturar o espírito do animal que seria caçado e para evitar que ele ferisse o caçador. As máscaras totêmicas identificam a tribo ou o clã com um espírito ancestral particular, cujo poder é usado para proteger a comunidade, afugentar seus inimigos, exorcizar demônios ou doenças, expulsar os espíritos dos mortos dos locais assombrados, ou como objeto de culto. As máscaras trágicas e cômicas usadas para identificar os diferentes personagens no teatro da Grécia antiga foram desenvolvidas a partir das máscaras religiosas usadas para encenar mitos ou simbolizar a presença de divindades, particularmente no culto de fertilidade de Dionísio.

MUMIFICAÇÃO (EGITO)

A mumificação era um processo cuidadoso e complexo que durava, em média, 70 dias, estimando-se ter iniciado em meados do ano de 3.000 a.C. Tinha como objetivo preservar os corpos até os dias atuais, conforme descobertas arqueológicas. Também alguns animais de estimação, como cães e gatos, foram mumificados. Concedendo a conservação do *Khat*, facilitava, também, o reconhecimento da *Ba*, ou alma.

O corpo era inicialmente levado aos locais de purificação, chamados de *Ibu*, onde passaria pelo processo de limpeza, sob cuidados de renomados sacerdotes. Eram tendas ao ar livre e situavam-se à margem oeste do rio Nilo.

Em uma mesa inclinada, que ajudava a drenar seus líquidos, o corpo era lavado com vinho de palma e água do rio Nilo.

Após o limparem devidamente, faziam um corte ao lado esquerdo da região do abdômen, a fim de retirarem todos os órgãos. O cérebro, por sua vez, era retirado através das narinas, com o auxílio de um gancho. Os pulmões, os intestinos, o estômago e o fígado eram colocados em diferentes vasos canopos, geralmente feitos de alabastro, mas também de outros materiais, como calcário, cerâmica ou faiança. Os vasos canopos eram colocados na câmara funerária da pirâmide ou do túmulo, perto do caixão.

Cada um desses quatro recipientes era atribuído aos respectivos quatro filhos de Hórus, representado por quatro animais, além de outras quatro deusas: os pulmões eram protegidos por Hapi, permanecendo em um canopo com cabeça de babuíno, e pela deusa Néftis; os intestinos por Qebehsenuf (vaso com cabeça de falcão) e pela deusa Serket; o estômago por Duamutef (vaso com cabeça de chacal) e pela deusa Neit; e o fígado por Imset (vaso com cabeça de humano) e pela deusa Ísis.

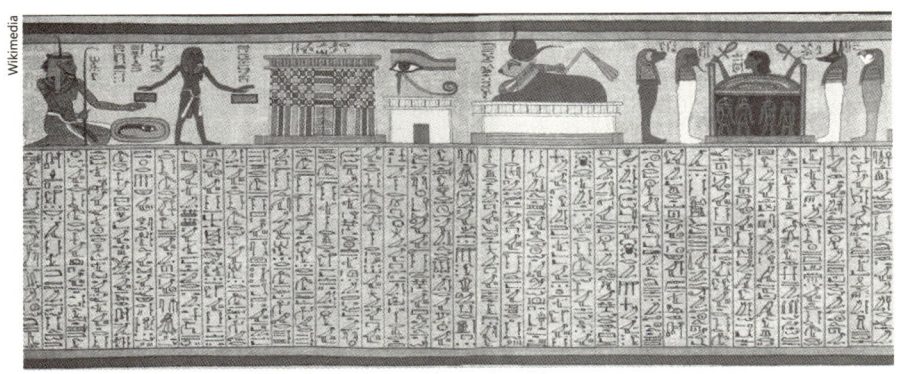

Encantamento no Papiro de Ani, um Livro dos Mortos

O coração era o único órgão a permanecer intacto no corpo, para diversos fins, incluindo o julgamento de Osíris no submundo. Todo o restante, incluindo o cérebro, era atirado às águas do rio Nilo.

A partir de então, o corpo era imerso em natro, tipo de sal mineral muito comum na região, fazendo com que todos os fluidos fossem drenados em um período de 40 dias. Após esse tempo, todas as cavidades do corpo eram tampadas com linho embebido de resina. Maquiava-se o rosto e uma peruca era colocada sobre a cabeça. Todo o corpo era coberto de óleos de mirra, zimbro e resina para protegê-lo. Várias folhas de tomilho esmagadas perfumavam-no.

Um olho de Hórus era desenhado em um prato de ouro, que tampava o corte na lateral do abdômen, como amuleto de proteção. Defumavam a tumba levemente com incenso, a fim de purificar o ar. O corpo era, então, enrolado por tiras de linho engomado.

MUNDO SUBTERRÂNEO (EGITO)

O mundo subterrâneo é uma versão particular do reino dos mortos, conhecido, sobretudo, através dos túmulos do Império Novo, no Egito. Ele possui, porém, como em todos os aspectos da religião egípcia, muitas variantes. As concepções da vida do rei depois da morte afirmavam que ele iria juntar-se aos deuses na morte. Eram, a princípio, diferentes das consideradas válidas para o restante da humanidade, embora viessem a ser difundidas cada vez entre mais pessoas. Qualquer que fosse o destino de uma pessoa, não estava, de modo algum, assegurado.

A outra vida era cheia de perigos, que deviam ser ultrapassados, principalmente, por meios mágicos. O ponto de partida de todas estas ideias era o túmulo. Os enormes gastos dos egípcios ricos com seus funerais tinham como objetivo realçar o prestígio do dono do túmulo durante a vida. O morto podia continuar a existir dentro e à volta do túmulo, ou podia viajar pelo outro mundo. Buscava identificar-se com os deuses, sobretudo com Osíris, ou juntar-se, como espírito transfigurado, ao ciclo solar, como membro do "barco dos milhões".

NARCISO

Embora seja uma planta que floresce na primavera, o narciso também é um símbolo de morte na juventude, do sono e do renascimento. Seu simbolismo é muito variado. Na mitologia grega, Narciso era um jovem que se apaixonou pelo seu próprio reflexo num lago e consumiu-se de tanto observar sua própria imagem. Numa interpretação semelhante, plantava-se narcisos sobre os túmulos para assinalar a afinidade entre a morte e o sono. Na Pérsia, o perfume do narciso simbolizava a juventude e, entre os muçulmanos, seu caule ereto é um emblema do servo fiel. Como o narciso floresce no Ano-Novo chinês, simbolizava alegria, boa sorte ou um casamento feliz. Por vezes, sua flor branca substitui o lírio na iconografia cristã como um dos atributos à Virgem Maria.

NUDEZ

Inocência, liberdade, vulnerabilidade, verdade e, no ideal da arte grega, divindade. Embora a nudez também possa simbolizar carnalidade, vergonha ou malícia, o corpo humano despido de adornos era, na maioria das tradições, um símbolo de abertura, simplicidade e da pureza vista nos recém-nascidos. Daí deriva a tradição de tirar o manto ou a roupa dos iniciados em alguns rituais antigos.

A descrição feita na Bíblia de Adão e Eva nus antes da Queda associa a nudez com o estado primal de inocência. Alguns ascetas, por vezes, executam seus ritos nus por esse motivo. A seita russa de camponeses do século XVIII, os Dukhobors, usavam a nudez como um protesto simbólico contra o materialismo e a autoridade da Igreja e do Estado.

Na arte medieval, bruxas nuas simbolizavam as tentações da carne provocadas por Satã, mas os modernos covens de bruxas usam o termo "vestido de céu" (nu) para sugerir sua abertura às forças sobrenaturais. De forma semelhante, alguns ascetas indianos andam "vestidos de ar". Nas civilizações onde a nudez era reprovada, como na China, a falta de roupas simbolizava o estado primitivo, pouco civilizado, ou a pobreza.

OGHAM

O alfabeto Ogham da Irlanda e da Escócia tinha um caráter mais mágico do que prático, sendo usado como oráculo, em cerimônias, na gravação de túmulos e em pedras mágicas.

A tradição era mantida e passada adiante oralmente. Há poucos registros pré-cristãos escritos em língua celta. Os poucos que restaram lançam mão das letras gregas e latinas. No entanto, no Sudeste da Irlanda e nas penínsulas britânicas do Sudoeste, foram descobertas um total de 360 estelas funerárias, datando dos séculos V e VI de nossa era, que traziam inscrições numa escrita até então desconhecida. Essa escrita era feita de entalhes regulares, de um lado e de outro, ou atravessando a partir de uma das arestas da pedra. A decifração foi fácil graças às inscrições latinas que, muitas vezes, acompanhavam as inscrições.

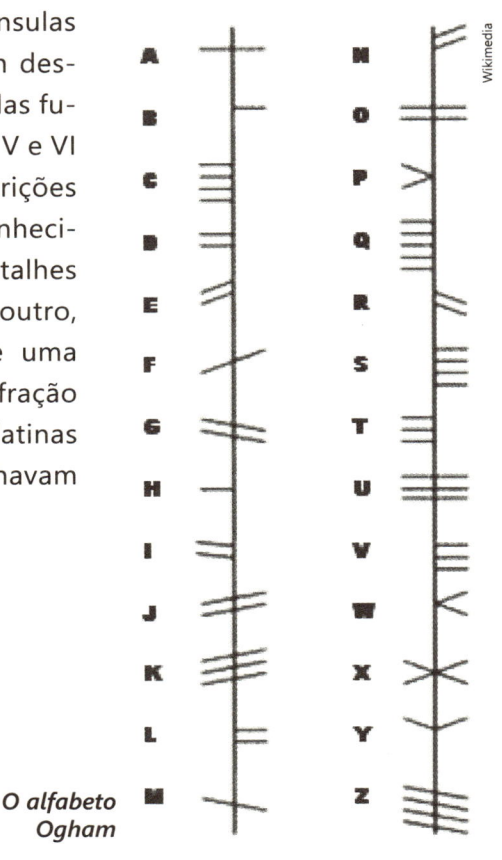

O alfabeto Ogham

Uma lenda irlandesa indica que, antes de se tornar uma escrita profana e pública, essa escrita, o ogham, ou ogam, era secreta e reservada só aos iniciados. "Core, filho de um rei irlandês, expulso pelo pai, desembarca na Escócia, onde Gruibne, filho do rei Fedarach, que é poeta e iniciado, lhe dá boa acolhida, pois certa vez Core lhe salvara a vida", diz a narrativa. "Mas repara numa inscrição com caracteres ogham sobre o escudo que ostenta o proscrito e lê estupefato: 'Se chegares um dia à casa de Feda, que te cortem a cabeça ao anoitecer e, se for noite, que cortem ao amanhecer.' Gruibne não hesitou, explicou ao pai que o agham lhe ordenava dar a filha em casamento ao recém-chegado."

O ogham servia também de meio de expressão a uma linguagem secreta. Outra lenda conta que: "Lomma, truão de Finn MacCool, quer revelar-lhe a infidelidade de sua mulher. Para assegurar a discrição da comunicação, serve-se de uma varinha de quatro faces, que entalha com sinais ogâmicos. Finn lê: caule de amieiro numa barreira de prata, heléboro no agrião, o marido de uma mulher louca, louco entre os Feni instruídos, são urzes sobre as alturas nuas de Luaigne." Finn compreende imediatamente do que se trata e age de acordo.

Os pesquisadores não estão de acordo sobre as origens do ogham. O mais provável é que já existia, nos tempos pré-históricos, um sistema mnemônico por pequenos talhes sobre uma varinha. Em seguida, o sistema ogâmico, paralelamente ao sistema rúnico dos germânicos, foi adaptado ao alfabeto greco-romano, que os druidas conheciam bem, para escrever palavras, servindo-se de entalhes em lugar de letras. Resultou uma escrita congestionante e pouco prática, mas difícil de decifrar, o que era o objetivo. Quando ela foi proscrita pela Igreja, foi progressivamente abandonada.

Os sinais do ogham dispunham-se em famílias de cinco (os cinco dedos da mão, um elemento de conta sumamente arcaico) e cada letra levava o nome de uma árvore ou de uma planta, o que a ligava ao mundo vivo, ao sagrado. A era "pinheiro" (*eilm*), B "bétula" (*bethe*), C "aveleira (*coti*), etc. O carvalho, para os druidas que sobre ele colhiam o agárico, era particularmente sagrado. Um texto da poetisa Maria de França, no século XII, menciona o galho de aveleira talhado e esquadriado por Tristan, sobre o qual ele gravou o nome para advertir Yseult: é a tradição do ogham.

OLHO DE HÓRUS

O olho que o deus Hórus perdeu durante uma batalha, o "olho que tudo vê", simboliza clarividência, além de poder, força e proteção espiritual. O amuleto protegia o portador contra doenças e garantia-lhe a vida. Ele era chamado de Udjat e estava ligado à regeneração, à saúde e à prosperidade.

De acordo com uma das versões do mito de Hórus, o deus falcão combateu seu tio Seth. Na luta, Seth arrancou um olho de Hórus, que, mais tarde, é regenerado por Thoth, o deus da escrita e que presidiu o tribunal na batalha entre Seth e Hórus.

Havia dois tipos de Udjat: o olho direito, que representava o Sol; e o olho esquerdo, referente à Lua. Como outros amuletos, o olho de Hórus não servia apenas como proteção para a vida dos egípcios: ele era muito utilizado nos funerais, e, no Livro dos Mortos, há fórmulas de como invocar o seu poder.

O olho de Hórus, em um pingente

OM

"No princípio era o Verbo, e o Verbo estava com Deus, e o Verbo era Deus. Tudo foi feito por Ele e nada do que tem sido feito, foi feito sem Ele. N'Ele estava a Vida, e a Vida era a Luz dos homens" (João 1:1-4).

Essa descrição pertence à tradição cristã, mas, em praticamente todas as tradições místicas e religiosas, o poder do som é exaltado. Palavras específicas expressadas com certa entonação e intenção concentrada são consideradas a verdadeira matéria-prima do Universo.

Acredita-se que tudo no Cosmos foi constituído pelo som emanado do primeiro hálito divino, ordenando, desta forma, o caos na harmonia cósmica que hoje conhecemos.

Na cultura védica, desenvolvida na antiga Índia, os sons capazes de elevar o espírito são chamados mantras e sua origem está no texto sagrado indiano mais amplo e mais antigo de todos, o Rig Veda, que é um livro de cantos métricos divididos em dez partes chamadas de mandalas.

Em sânscrito, "man" significa mente e "tran", controle, ou seja, o som de um mantra corretamente entoado nos dá o controle da mente.

Os mantras podem variar entre as várias tradições, tempos e linguagens. Às vezes, são uma palavra, outras um verso, um aforismo ou uma fórmula espiritual; suas letras e sílabas são de articulação harmoniosa, e, quando pronunciadas num ritmo ou sonoridade peculiar, e sob forte concentração mental, despertam no homem um estado incomum que lhe proporciona certo desprendimento ou euforia espiritual. Alguns mantras são considerados universais, pois seus sons e suas vibrações se identificam a uma mesma ideia matriz. É o caso do vocábulo "Aum", que, corretamente pronunciado, assemelha-se ao som "OM". No seu ritmo iniciático, é a representação universal da própria ideia de Deus, a Unidade, o Absoluto. De acordo com os iogues, quando pronunciada adequadamente no começo de uma meditação ou de uma reunião, produz um alinhamento das partículas dos corpos sutis, colocando-nos em posição mais harmoniosa e receptiva à meditação ou estudo. Suas letras representam os três poderes divinos do panteão Bramânico: "A" é o poder criador, a Criação, o Fogo, a Ação, o deus Brahma; "U" representa o poder conservador, o Sol, a Consciência, o deus Vishnu; "M" é o Destruidor, o Vento, a Vontade, o deus Shiva.

Na tradição védica, AUM é o mais poderoso de todos os mantras. Os outros são considerados apenas aspectos de AUM. Todo o Universo procede de AUM, conserva-se em AUM e nele se dissolve.

Os hindus dizem que é um mantra altamente positivo, tendo o poder de elevar os pensamentos, atuando profundamente no sistema nervoso e no glandular.

OUROBOROS

A imagem da serpente mordendo a própria cauda, formando um círculo com seu corpo, é um dos mais globais e antigos símbolos da humanidade. Às vezes, o ouroboros pode ser um dragão e, mais raramente, um pássaro de pescoço comprido. É o símbolo do infinito, do eterno retorno, da descida do espírito para o mundo físico. Representa também o dia e a noite, as forças masculina e feminina e a completitude realizada através da combinação dessas forças. Relacionado ao tempo, é um emblema do eterno, do indivisível e dos ciclos das eras. Na Alquimia, representa a transmutação da matéria e é também usada como um sinal de purificação.

A estranha concepção da imagem deriva da combinação do simbolismo da criação, isto é, do ovo, o espaço contido no círculo, o simbolismo terrestre da serpente – um ícone da eternidade, do fogo e da água, bem como do masculino e do feminino – e o simbolismo celeste do círculo.

A serpente – mordendo sua cauda – apareceu por volta de 1600 a.C., no Egito. De lá, o símbolo se irradiou primeiro para a Fenícia e depois para a Grécia, onde foi chamado de ouroboros, ou "aquele que devora sua cauda".

Originalmente, o ouroboros tinha importante papel na antiga religião egípcia, representando o retorno diário do sol ao seu ponto de partida, depois de cruzar os céus e o submundo. Já na Grécia, na iconografia órfica, era usado para simbolizar a morte e o renascimento. Os gnósticos o viam como uma imagem da autossustentação da natureza, a característica autofágica da biosfera: devorando a si mesma para se sustentar, recriando-se incessantemente a partir da destruição. Os gnósticos, os quais buscavam o conhecimento místico de Deus – ou gnose –, também viam no ouroboros a unidade e dualidade tão visíveis no plano material e que se fundem na unicidade essencial da vida.

Como símbolo de eternidade, na Roma antiga, o ouroboros era associado ao deus do tempo – Saturno – e também a Jano, o deus do novo ano.

Às vezes, a representação do ouroboros é acompanhada da máxima "o um é o todo".

PENA
Para os egípcios, a pena simbolizava a justiça, de forma que representava o peso mais leve, no entanto, necessário para interferir no equilíbrio da balança.

PENTAGRAMA
O pentagrama, uma estrela de cinco pontas cujas linhas se cruzam, é um símbolo geométrico de harmonia, saúde e poder místico. Quando é usado em rituais mágicos, esse símbolo normalmente é chamado de pentáculo. Sua origem remonta, provavelmente, à Babilônia de quatro mil anos atrás, onde era possivelmente usado como um modelo astronômico dos movimentos do planeta Vênus. Depois, tornou-se o signo estelar da Suméria e do Egito.

Alguns estudiosos dizem que era esse o símbolo que aparecia no Selo de Salomão, embora outros digam que o famoso rei hebreu usasse o hexagrama como marca da sua autoridade. De qualquer forma, entre 300 e 150 a.C., o pentagrama foi, de fato, o selo oficial de Jerusalém.

Na Grécia, os seguidores do filósofo Pitágoras, conhecidos como pitagóricos, adotaram o pentagrama como emblema de saúde e harmonia mística, o casamento do céu e da terra, combinando o número dois – terrestre e feminino – com o três – celeste e masculino. O resultado, o número cinco, representava para os pitagóricos o microcosmo da mente e do corpo humanos. A partir desse conceito, o pentagrama foi vagarosamente adquirindo um significado oculto.

Os gnósticos – os místicos cristãos – e os alquimistas associavam o pentagrama aos cinco elementos. Já para os cristãos, o pentagrama representava as cinco chagas de Cristo, e, para as feiticeiras medievais, os poderes místicos que o rei Salomão tinha sobre a natureza e o mundo dos espíritos.

Os mágicos, às vezes, usavam um chapéu característico feito de linho, com um pentagrama desenhado ou bordado para conjurar ajuda sobrenatural. Devido ao seu poder protetor, é comum que seja gravado em amuletos de pedra ou madeira, peles de animais e até mesmo em anéis. Na importante obra de Goethe, *Fausto*, o personagem principal, desenhou um pentagrama na porta da sua casa para evitar que Mefistófeles entrasse.

Quando o pentagrama é desenhado com uma ponta para cima e duas para baixo, é símbolo de magia branca – o "pé do druida". Com uma ponta para baixo e duas para cima, representa o "pé de bode" e os chifres do Diabo. Os cabalistas judeus também usavam pentáculos desenhados dentro de círculos protetores. Na Maçonaria, o pentagrama é um símbolo de aspiração, conhecido como "Estrela Flamejante".

PIRÂMIDES DO EGITO

Entre os famosos monumentos egípcios estão, sem dúvida, as pirâmides, que dominam o grande complexo de construções destinadas

A pirâmide de Sacará

a abrigar o rei depois de sua morte. Os primeiros desses monumentos eram formados por degraus, que nada mais eram que "mastabas" empilhadas. Essas mastabas, cujo nome deriva do árabe *maabba*, "banco de pedra", eram túmulos em forma de uma base de pirâmide, construídos desde a primeira era dinástica.

Entre as pirâmides da terceira dinastia, em Sacará, perto de Mênfis, destaca-se a Pirâmide de Degraus, obra-prima do primeiro arquiteto conhecido, *Imhotep*, vizir do faraó, a quem se atribui o início da construção em pedra e que mais tarde seria deificado como deus da medicina e reverenciado como astrônomo, sacerdote e sábio. A construção de algo sem precedentes, como essa pirâmide de pouco mais de sessenta metros de altura foi, certamente, vista como prova de poder divino.

A primeira pirâmide foi erguida por volta de 2700 a.C. e as maiores pirâmides foram construídas em Gizé, durante a quarta dinastia. A pirâmide de Quéops, também chamada de Grande Pirâmide, demorou vinte anos para ser concluída, empregando entre cinco e seis milhões de toneladas de pedras que foram levadas até o local de uma distância de até 800 quilômetros. Projetada para ter 146 metros de altura, equivalente a um prédio de cinquenta andares, exigiu o emprego de aproximadamente cem mil trabalhadores, incluindo escravos e agricultores arregimentados quando as enchentes estavam no ápice, impedindo-os de trabalhar a terra.

A pirâmide foi construída com rigor geométrico. A colossal construção está perfeitamente orientada, e os seus lados, de cerca de 230 metros de comprimento, variam menos de doze centímetros. Foi a estrutura mais impressionante até então construída no mundo.

Apesar de serem a marca do Egito e por, ainda hoje, intrigarem as pessoas, as pirâmides não representavam grande avanço em termos de elaboração arquitetônica. Sua construção foi significativa mais por conta do tamanho colossal e do esforço empreendido para erigi-las do que devido à sua sofisticação. Alguns estudiosos sustentam que as pirâmides são, de fato, primitivas.

As pirâmides não foram, porém, os únicos grandes monumentos erguidos pelos antigos egípcios. Em outros locais, havia grandes templos, palácios, além dos túmulos dos Vales dos Reis. Perto da pirâmide do faraó Quéfren (c. 2550 a.C.), encontra-se um dos monumentos mais conhecidos e misteriosos da humanidade: a esfinge. Não se sabe ao certo quem construiu a esfinge. Muitos acreditam que foi Quéfren quem ordenou que seus artistas e artesãos entalhassem uma figura imponente, símbolo de seu poder, com o corpo de leão e a cabeça do próprio faraó.

PLANTAS

Desde o surgimento da nossa espécie no planeta, o uso de certas plantas, as chamadas de Plantas Mestras, Plantas de Conhecimento, Plantas de Poder, Plantas Sagradas, empregadas para se acessar um estado diferenciado de consciência era – e continua sendo – muito comum. Muitas dessas plantas, classificadas como enteógenas, do grego *entheos*, isto é, que tem "Deus dentro", participaram e participam de cerimônias em todos os continentes – do coração da Amazônia às selvas indianas. As Plantas de Poder são ingeridas em rituais, obedecendo preceitos mágico-religiosos. Normalmente, aumentam a percepção, a acuidade visual e auditiva e transportam o praticante a um estado de consciência incomum. Essas plantas de poder deram início à primeira tradição mitológica relacionada ao simbolismo das plantas e árvores sagradas.

Quando as mulheres domesticaram as plantas, o advento da agricultura causou uma das maiores – senão a maior – revolução na humanidade. Agora, não era mais preciso seguir as manadas de animais através de territórios longínquos e perigosos ao longo de todas as estações do ano. A agricultura possibilitou o estabelecimento das primeiras aldeias, que acabaram se transformando em cidades, e com elas veio a civilização. A própria etimologia da palavra indica isso: "civilização" vem de "civil", que, por sua vez, deriva co termo latino *civilis*, ou seja, relativo à vida nas cidades.

Não é de se admirar, portanto, que a mudança no estilo de vida dos humanos com o advento da agricultura tivesse enorme impacto. A partir de então, houve uma mudança na visão de mundo. As cosmogonias – as descrições da criação do mundo e do Universo – foram completamente alteradas. Homens e mulheres passaram a perceber no ciclo agrícola de preparar a terra, semear, esperar brotar, ceifar e colher uma semelhança incrível não só com a vida humana, mas também com o ciclo das estações do ano e das estrelas. A vida das plantas refletia a realidade humana e de todo o Universo. No centro dessa constatação, estavam os dramas da vida e da morte que tanto nos impressionam. Criaram-se mitos que espelhavam essa convicção, encenados em ritos e sacrifícios humanos. Ísis, Demeter e Perséfone, Osíris e Tamuz são deuses que morrem para voltar a viver ou que estão envolvidos no drama da ressurreição. As plantas, cujo ciclo reflete o de todas as coisas do Universo, nos dizem que a morte é a condição da vida, que, mesmo tendo que morrer, continuaremos a viver: apesar de serem ceifadas, no ano seguinte renascem com a mesma exuberância e força.

Entre os mitos que surgiram então, estão os que se referem às plantas sagradas, aos homens-verdes, responsáveis pela germinação das sementes, a deuses e deusas que controlam o ciclo das plantas. Os druidas e os xamãs nórdicos eram notórios por seus bosques sagrados – círculos de árvores divinas plantados através dos séculos. Cada uma dessas árvores encerra um significado próprio, que evoca os mistérios do Universo que tanto desejamos desvendar. O carvalho é particularmente importante para os celtas. As plantas também ocupam posição de relevo na Mitologia das religiões afro-brasileiras, onde são usadas pelo poder que concedem àquele que delas lança mão.

POTESTADES (OU POTÊNCIAS)

As potestades ou potências são anjos guerreiros, criados para serem totalmente leais a Deus. São os portadores da consciência de toda a humanidade, sendo também os mantenedores da história. Usando o termo criado pelo psiquiatra Carl Gustav Jung (1875 – 1961) para ilustrar a tradição bíblica, as potestades são responsáveis pela memória coletiva da humanidade. Outra função das potestades é distribuir o poder entre os humanos.

Embora alguns teólogos afirmem que nunca nenhuma potestade tenha se tornado um anjo caído, algumas correntes acreditam que Satã, antes da sua queda, tenha sido o líder dessa categoria angélica.

Anjos combatendo um dragão; aqui simbolizando o mal. Gravura de Gustave Doré (1866)

PRINCIPADOS

Os principados recebem ordens das dominações e potestades e as passam adiante, para os reinos inferiores. Também são os principados que distribuem bênçãos ao mundo material. São os guardiões do reino terrestre, protegendo as cidades, os países e a fauna e flora. Em sua atribuição de educadores, os principados inspiram a arte e a ciência nos seres humanos.

QUATRO NOBRE VERDADES

A visão de mundo que Gautama obteve no transe meditativo que o levou a atingir o nirvana é o centro da sua filosofia. O Buda a chamou de "*As Quatro Nobres Verdades*" – segundo ele, a realidade do Universo. A primeira nobre verdade é que a vida é sofrimento. A segunda é que esse sofrimento se origina do desejo. A terceira verdade é que a ilusão que permeia o mundo não deixa que nos libertemos desse desejo. A última nobre verdade é, na realidade, a cura para os três males anteriores. Ainda diz que a maneira para se encontrar a trilha que leva à iluminação é o Caminho Óctuplo, uma série de preceitos morais e filosóficos que levariam o fiel a anular seu *karma* e atingir a iluminação.

QUERUBIM

Os querubins são outra categoria de anjos a ocupar a primeira esfera angélica da hierarquia cristã. São mencionados em diversos livros da Bíblia, como no Livro de Isaías e no de Ezequiel. Eles são descritos como tendo quatro rostos: o de um leão, de um touro, de uma águia e de um homem. Têm a altura e as mãos de um homem, os pés de um boi e quatro asas, duas das quais sustentam o trono de Deus, enquanto as outras duas cobrem todas as criaturas.

Tanto o nome quanto à descrição dos querubins remete ao termo assírio *karabu*, isto é, "grande", "poderoso", e também aos *shedus*, os touros alados com cabeça humana que guardavam os palácios assírios. Esses *shedus* também eram chamados de *kirubus*, um termo ainda mais próximo da palavra querubim. A semelhança entre os *shedus* e os querubins pode ser constatada no fato de que, de acordo com alguns estudiosos, o Templo de Herodes era decorado com figuras de querubins para garantir proteção divina.

Um shedu, touro alado com cabeça humana que guardava os palácios assírios, provável precursor dos querubins, em gravura da enciclopédia Meyers Konversations-Lexikon (1897)

Os querubins são originariamente guardiões e dois deles foram colocados por Deus na entrada do Paraíso para impedir que Adão e Eva – e seus descendentes – voltassem para lá depois de terem sido expulsos.

Na arte cristã, os querubins são quase sempre representados com muitos olhos, tanto no rosto como nas asas. Contudo, a partir do Renascimento, os querubins acabaram se confundindo com os *putti*, as almas inocentes com aparência de bebês alados, tão comuns na arte sacra. Embora seja um erro, a confusão gerou um termo médico, "querubismo", uma rara doença que leva a parte inferior do rosto do paciente crescer, dando-lhe a aparência semelhante ao dos *putti*.

Embora sejam anjos guardiões, a partir do Renascimento, os querubins passaram a ser representados com aparência de bebês alados, confundidos com os putti, as almas inocentes (arte tumular, cemitério de Melbourne, Austrália)

Shutterstock

RESPIRAÇÃO

O princípio da vida, tanto espiritual quanto física. A relação entre a respiração e o espírito é parte importante das tradições ocidental, oriental e islâmica. Assim, em Gênesis 2:7, Deus sopra vida nas narinas de Adão. A insuflação era usada nos rituais cristãos de modo simbólico para soprar o Espírito Santo nas pessoas com problemas e para expulsar os demônios de seus corpos. A respiração controlada, um aspecto das diferentes formas de meditação das tradições muçulmana, budista e tântrica, é muito desenvolvida no sistema hindu de ioga, onde a correta respiração busca concentrar o espírito e alinhar a respiração do indivíduo com o ritmo do Cosmos. A ideia de que a respiração é um dom divino permeia este símbolo, implicando que a respiração retorna ao doador, isto é, Deus, depois da morte.

RITOS

O rito é a encenação do mito. O rito, nas religiões antigas, não proporcionava uma expansão da alma. Era o desenrolar de uma técnica comprovada, criada para obter o fenômeno desejado. O sacerdote pagão não pedia fé no dogma, mas respeito ao rito. A prece, que, no nível superior, é a busca de uma união mística e, no nível inferior, o apelo à misericórdia divina, era desconhecida. A união com o Cosmos era percebida sem esforço em todos os atos da vida, e a submissão às forças naturais sem discussão nem recurso.

ROSÁRIO

Muitas religiões usam um cordão ou colar guarnecido com contas ou caroços que, isolados, simbolizam atributos, orações, nomes de santos, seres iluminados ou deuses. São os rosários. No Budismo, o rosário é chamado de japamala e tem 108 contas que correspondem aos diversos degraus de evolução do mundo. No hinduísmo, o "colar de oração" é usado para contar o número de mantras que devem ser pronunciados. No islamismo, as contas evocam os nomes de Alá. Já o rosário da Igreja Católica é a ilustração simbólica de uma sucessão de orações. Por cinco vezes, reza-se um Pai Nosso e um credo a cada dez Ave Marias. A contagem das contas também remonta a certos acontecimentos da vida de Jesus.

Shutterstock

Na Igreja Católica, o rosário é a ilustração simbólica de uma sucessão de orações, como o Pai Nosso e a Ave Maria

O nome rosário, que significa literalmente "jardim de rosas", foi cunhado no século XIII por um grupo de místicos cristãos. O nome vem do fato de a sequência de orações marcadas pelas contas serem dedicadas à Virgem Maria – a Rosa do Céu.

No entanto, os primeiros "colares de oração" apareceram na Índia, e aqui o simbolismo é mais específico. As cinquenta contas do rosário hindu remetem às cinquenta letras do alfabeto sânscrito. O japamala é relacionado com o poder criativo do som e, por consequência, com os deuses que representam o poder criativo – Brahma e sua consorte Sarasvati.

No Budismo, o número de contas é 108 – uma referência à lenda dos 108 brâmanes que estavam presentes durante o nascimento do Buda.

O rosário islâmico, o mala, tem 99 contas que representam os 99 nomes de Alá. Porém os muçulmanos consideram uma centésima conta que, na verdade, não existe. É uma "conta" mística, que evoca o centésimo nome de Alá sem pronunciá-lo. Isso porque esse nome é desconhecido e só será revelado ao fiel no Paraíso, após a sua morte.

RUNAS

Para conhecer os desejos e as tramas dos imortais, os sacerdotes e feiticeiros nórdicos lançavam mão de um peculiar oráculo: as runas. Trata-se de um tipo de alfabeto, cujas letras também são símbolos mágicos.

Cada letra tem um nome significativo e um som respectivo. As runas foram empregadas na poesia, em inscrições, e como oráculo.

Cada runa é vinculada a um deus celeste, como o Sol e a Lua. Como os vikings acreditavam que elas tinham poderes sobrenaturais, as runas eram gravadas nas armas dos seus guerreiros, em pedras comemorativas e em monumentos funerários. Dessa forma, elas ofereciam proteção. Contudo, as runas eram também usadas para evocar a vingança e para predizer o futuro. Os símbolos mágicos eram inscritos em pedra, madeira ou couro e usados pelos xamãs vikings

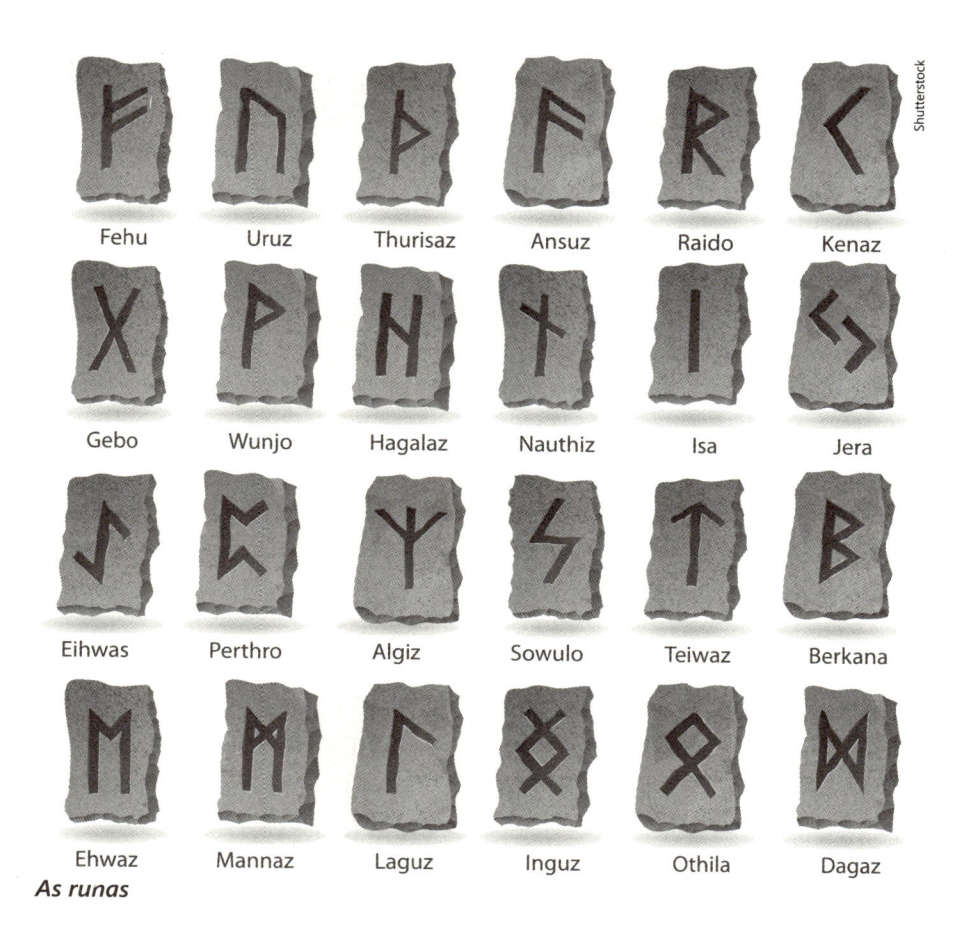

Fehu   Uruz   Thurisaz   Ansuz   Raido   Kenaz

Gebo   Wunjo   Hagalaz   Nauthiz   Isa   Jera

Eihwas   Perthro   Algiz   Sowulo   Teiwaz   Berkana

Ehwaz   Mannaz   Laguz   Inguz   Othila   Dagaz

As runas

em feitiços e, também, para acessar o mundo sobrenatural. As runas evocam os ciclos do homem. Através delas, o runemal, aquele que lia as runas, tinha um eficiente sistema de autoconhecimento.

Esse oráculo é muito antigo. Em seu livro *História*, Heródoto registrou que, ao viajar pelo Mar Negro, encontrou xamãs que "se enfiavam debaixo de cobertores, fumavam até ficar em uma espécie de transe e então lançavam gravetos no ar, 'lendo' seu significado quando caíam no chão". Para o pesquisador Ralph Blum, autor de *O Livro de Runas*, "esses gravetos eram, provavelmente, uma forma primitiva de runas".

No entanto, a arte do runemal, a interpretação das runas, perdeu-se no tempo. Embora esse conhecimento secreto fosse passado através de iniciação pelos mestres rúnicos do passado, seus segredos não foram registrados e, se foram, não chegaram até nós. Os últimos runemals foram mestres islandeses que viveram no final da Idade Média. A sabedoria dos mestres rúnicos morreu com eles, e nada permaneceu, além das sagas, a requintada literatura desenvolvida pelos bardos, ou poetas e vikings. Hoje, embora muitos consultores espirituais usem runas, seu método de leitura não tem nada a ver com aquele dos antigos runemals.

Um bom exemplo do grafismo rúnico – provavelmente o mais conhecido – é o símbolo da SS, a elite nazista. Baseado na runa *sig*, associada ao Sol, à vitória e à madeira de freixo, da qual se cortavam os arcos dos guerreiros, é uma marca notória da preocupação nazista de usar letras rúnicas como símbolos arianos.

SALOMÃO, TEMPLO DE

Os textos bíblicos de Reis e Crônicas descrevem a construção e decoração do primeiro Templo, mas não sua forma precisa. O rei Davi forneceu os recursos e trabalho habilitado para construir o local sagrado. O texto detalha suas instruções ao filho Salomão.

"Erguei-vos, portanto, e façais": eis aqui uma das primeiras lições extraídas do templo. "Esse era o comando nos textos sobre a construção

Relevo com cerimônia judaica, no Arco de Tito

Shutterstock

Shutterstock

Templário, ou cavaleiro da Ordem do Templo de Salomão

Lendas do Templo

As lendas sobre o rei Salomão e seu templo atravessaram o tempo – desde a Antiguidade até hoje –, deixando sua marca na mente ocidental. A fama do seu esplendor é tanta que, quando o imperador Constantino construiu a fabulosa catedral de Santa Sofia, em Constantinopla, atual Istambul, ele buscou rivalizar a magnificência do templo de Salomão. Conta-se que ao fim da construção de Santa Sofia, Constantino teria exclamado orgulhoso: "Eu vos ultrapassei, ó Salomão!".

Durante as Cruzadas, os templários, ou cavaleiros do Templo de Salomão, esforçaram-se para encontrar os conhecimentos e tesouros perdidos, quando o templo construído pelo rei que inspirou o nome da Ordem foi destruído. Entre esses tesouros estaria a Arca da Aliança.

Nos romances da Idade Média, Salomão e o seu templo só ficavam em segundo plano com relação ao rei Artur e o graal como fonte de inspiração dos poetas.

Numa época mais próxima da nossa, os maçons se inspiraram na geometria sagrada ensinada àqueles que soubessem entender os símbolos evocados na arquitetura do templo. Hoje, as lendas continuam a inspirar o sonho de fantásticos achados arqueológicos relacionados ao sábio rei – tema que tem inspirado inúmeros livros e filmes.

De acordo com as lendas, Salomão era um mago, ou homem sábio, um mágico e um realizador de maravilhas. Sua notória sabedoria é sempre ilustrada pelo episódio das duas mulheres que vieram a ele reclamar a maternidade de uma criança. Cada uma delas afirmava ser a mãe. Salomão mandou, então, que a criança fosse cortada ao meio. Assim, cada mulher teria metade do bebê. Diante de uma decisão tão radical, uma delas recuou e abriu mão da criança. Foi a essa que Salomão deu a guarda. Segundo o monarca, somente a mãe verdadeira faria qualquer coisa para a sobrevivência do filho – até mesmo perdê-lo.

Salomão também ficou famoso por seu dom de profetizar. Ele previu a destruição do templo que construiu pelos babilônicos. Por isso, fez um compartimento secreto dentro das paredes do edifício para enterrar e preservar a Arca da Aliança – um tesouro sagrado que tem sido objeto de inumeráveis buscas desde o seu desaparecimento.

do templo, tanto para os judeus como, mais tarde, para os cristãos e os maçons", escreveu o historiador escocês Andrew Sinclair no seu livro *O Pergaminho Secreto*.

O texto contém orientações práticas para construir um lar para a Arca da Aliança e, nas palavras do Livro dos Reis, "uma casa para o nome do Senhor Deus de Israel". "Partes do Velho Testamento são quase como um manual de construção", afirma Sinclair.

O Templo de Salomão original foi descrito como obra de uma multidão de mãos a serviço de uma visão transcendental. Pedreiro, capataz e rei-profeta eram um único esforço dirigido a um propósito sagrado. Na simbologia do templo, isso significa que as mãos e o cérebro serviam juntos, isto é, a matéria se harmonizou com o espírito. "Aquele edifício de Salomão, que foi imbuído com a sabedoria, bem como a santidade do sacerdote-rei oriental, era um paradigma para aqueles que desejavam unificar as tribos e clãs num povo ou sociedade", escreveu Sinclair. Nesse trabalho terreno, e ao mesmo tempo divino, estava a consonância entre o rico e o pobre, o elevado e o mundano, a teoria e a prática.

O templo de Salomão foi o primeiro dos dois construídos em Jerusalém durante a Antiguidade. Foi destruído pelos assírios em 722 a.C. Os judeus foram, então, exilados. Quando voltaram, construíram o segundo templo de Jerusalém. Esse templo foi ampliado por Herodes. Foi nele que Jesus se rebelou contra os cambistas e se pôs a virar as bancas de moedas. O terceiro templo foi destruído pelos romanos, em 70 d.C.

SEFIROT

Os cabalistas agrupam as *sefirot* em três colunas dentro a Árvore da Vida. A coluna do lado direito, formada por *Hokhmah*, *Hesed* e *Netzah*, tem polaridade masculina e positiva. A coluna à esquerda, composta por *Binah*, *Geburah* e *Hod*, é feminina e negativa. A coluna central, *Keter* no alto, *Tiferet* no centro, *Yesod* e *Malkhut* embaixo. A coluna da direita é chamada de "Pilar do Julgamento" e encarna a força de expansão. A da esquerda, o "Pilar da Misericórdia", opõe-se ao Pilar do Julgamento e encarna a força da restrição. A coluna do meio, o "Pilar da Compaixão", equilibra as outras duas. Quanto à compaixão, ensinam os místicos judeus, é o elemento que harmoniza os extremos da misericórdia e do julgamento e que sustenta o mundo.

Outra forma que os cabalistas agrupam as *sefirot* na Árvore da Vida é dividindo-as em três tríades, cada uma representando um único aspecto do *Ein Sof*. A primeira tríade é formada por *Keter*, *Hokhmah* e *Binah* e representa o processo de pensamento de Deus.

Keter, a Coroa, é a mais alta sefirah da Árvore da Vida. É idêntica ao *Ein Sof*. Como Ele, foi concebida como Vontade. E por conta da sua proximidade com o *Ein Sof*, muitos cabalistas afirmam que *Keter* não pode ser conhecida. O Zohar chama essa *sefirah* de "a vontade que nunca pode ser conhecida ou entendida". De acordo com a tradição, *Keter* "é o veículo catalisador de todo o ser, mas ainda não é uma coisa por si mesma. Um hino do século XIII dedicado a *Keter* diz que "tudo está nela, pois os poderes internos das *sefirot* nela estão contidos".

Hokhmah, a Sabedoria, é o primeiro ponto da criação, surgido de um ato de vontade de *Ein Sof* e *Keter*. Embora Hokhnah seja a segunda *sefirah*, os cabalistas a chamam de "começo", pois Keter, a primeira, é eterna e não tem princípio. Segundo o Zohar, *Hokhmah* é o Pensamento Divino e contém o padrão de toda a criação. "Tudo o que virá a ser já existe nesse ponto infinitesimal que emerge de dentro de Deus. Como o primeiro Ser definido, *Hokhmah* se torna a fonte de todo o futuro ser", diz o rabino Green.

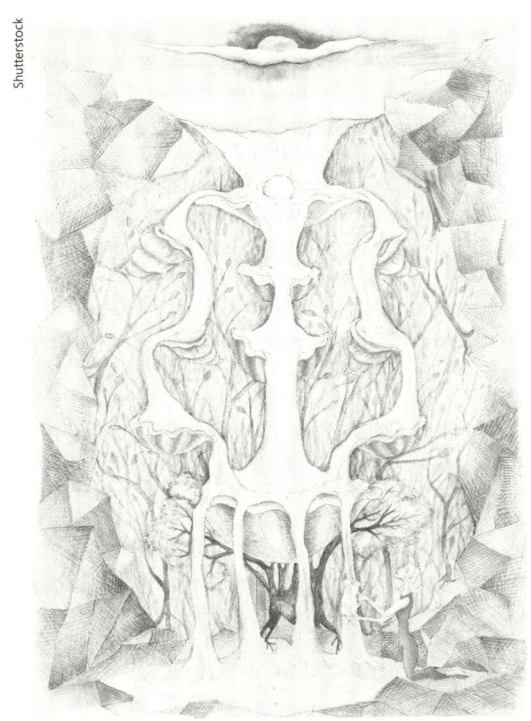

Shutterstock

Representação artística das sefirot, formando uma cascata vital

Binah, Compreensão, está no alto do Pilar do Julgamento e controla a natureza expansiva de *Hokhmah*. Além de "compreensão", *Binah* é uma palavra que pode ter sentidos diferentes, como "inteligência", "intuição" ou "discernimento". Enquanto *Hokhmah* é masculino e ativo, *Binah* é feminina, chamada de mãe ou Imma. *Hokhmah* e *Binah* são, portanto, os pais originais. Juntos, eles criam as sete *sefirot* inferiores e, então, toda a criação. Os cabalistas ensinam que *Binah* é o ventre da Grande Mãe e, também, "o ser amoroso para quem todos voltarão no fim dos tempos".

Hesed, Geburah e *Tiferet* são as *sefirot* que compõem a segunda tríade, que representa a perfeição ética e o poder moral de Deus, o reino da alma divina.

Hesed, a quarta *sefirah*, é geralmente traduzida como "amor" ou "misericórdia", mas também pode ter o sentido de "graça" ou "bondade amorosa". Os cabalistas a colocaram no alto do Pilar da Misericórdia e, às vezes, em vez de *Hesed*, a chamam de *Gedullah*, ou Grandeza.

Geburah, o nome da quinta *sefirah*, significa "poder", "força", "julgamento" ou "severidade". É frequentemente chamada de *Din*, "julgamento" ou "justiça". Essa *sefirah* se localiza no centro do pilar que tem seu nome, o Pilar do Julgamento. Junto com *Hased*, *Geburah* governa o nível da emoção. Os místicos judeus acreditam que essas duas *sefirot* são dois lados da personalidade divina: amor que flui livremente e julgamento estrito, sendo que uma equilibra a outra. O julgamento é suavizado pelo amor, para não destruir toda a vida. Enquanto *Hesed* tende a emanar e a expandir sem limites a essência de *Ein Sof*, *Geburah* faz o oposto, limitando a bondade divina. A união desses dois poderes gera a Beleza (*Tiferet*), que exprime tudo o que está harmoniosamente equilibrado.

Tiferet, a Beleza, está no centro da Árvore da Vida, no Pilar da Compaixão, outro nome de *Tiferet*. Essa *sefirah*, que representa integridade e equilíbrio, é o mediador que harmoniza os extremos da Misericórdia e do Julgamento. Na árvore da Vida, *Tiferet* é o Coração dos Corações; na psique humana, é o Eu, o núcleo do indivíduo. Também chamada de "Céu", "Sol" e "Rei", *Tiferet* é igualmente entendida pelos cabalistas como o Filho. De fato, apesar de o *Zohar* não endossar nem o Cristianismo e nem Jesus, as descrições cabalísticas de *Tiferet* se parecem com as descrições de Cristo no Novo Testamento.

A terceira tríade, formada por *Netzah*, *Hod* e *Yesod*, representa o reino da natureza, o governo e a direção do mundo.

Netzah, a sétima *sefirah*, está na base do Pilar da Misericórdia. A palavra hebraica significa "vitória" ou "triunfo", mas também é traduzida como "resistência". É uma manifestação mais densa de *Hesed*, a *sefirah* do Amor/Misericórdia.

Hod, Esplendor ou Majestade, é a oitava *sefirah*, colocada na base do Pilar da Justiça. É uma manifestação mais baixa de Geburah – Justiça/Julgamento. Os cabalistas dizem que *Netzah* e *Hod* são os instrumentos por meio dos quais Deus governa o mundo. Essas *sefirot* são, também, fonte de profecia e regem os níveis de ação operacional e instrumental. No corpo humano, *Netzah* governa os processos involuntários, incluindo o sistema autônomo, e *Hod*, os voluntários.

Yesod, a nona *sefirah*, significa "Fundação". Fica no Pilar do Meio, entre *Tiferet* e *Malkhut* – entre o Filho e a Mãe. Alguns cabalistas a chamam de *Yesod Olam*, a "Fundação do Mundo", e a entendem como a força procriadora da vida do Universo, através da qual a luz e o poder das *sefirot* anteriores são canalizados para a última *sefirah*, Malkhut.

Malkhut, a base do Pilar da Compaixão e da Árvore da Vida, representa o universo físico. A palavra hebraica quer dizer "reino", termo que se refere ao domínio ou poder de Deus no mundo. Em relação aos seres humanos, *Malkhut* corresponde ao corpo. Essa *sefirah* é o canal através do qual a força divina das *sefirot* flui para este mundo e é também a porta através da qual buscamos alcançar a Deus.

Malkhut também é chamada de *Shekhinah*. No judaísmo tradicional, *Shekhinah* é a presença e atividade de Deus no mundo. A esse conceito, a Cabala acrescenta uma nova dimensão: *Shekhinah* é o aspecto feminino de Deus. É o ponto de partida do mundo inferior, a mãe do mundo e sua soberana.

SEIOS

Segurança, proteção, gentileza, amor maternal e nutrição. Por conta desse simbolismo durante a Antiguidade, as mulheres de uma tribo derrotada em guerra despiam os seios, pedindo compaixão. Era, também, uma forma de demonstrar que eram mães como as mães dos guerreiros vencedores. As deusas com seios de tamanho exagerado ou com múltiplas glândulas mamárias são imagens de fertilidade.

SERAFINS

Os serafins são anjos de fogo que servem a Deus. Eles são descritos no Livro de Isaías como tendo seis asas. Com duas cobrem seus rostos, com outro par, os pés e usam as restantes para voar.

Isaías, que viu o trono do Senhor, contou que ouviu os serafins cantando ininterruptamente: "Santo, Santo, Santo é o Senhor. O Céu e a Terra proclamam a Sua Glória". Por isso, os teólogos medievais deduziram que uma das atribuições dos Serafins é louvar a Deus continuamente.

Os serafins pertencem à ordem mais elevada da hierarquia angélica cristã, ocupando uma posição próxima ao trono de Deus. De acordo com o pseudo-Dionísio, os serafins são encarregados de manter o mundo divino em sua mais perfeita ordem. Santo Agostinho concorda e afirma que o nome "Serafim" deriva do excesso de zelo desses anjos, uma vez que realizam suas funções com ardor, palavra latina relacionada ao termo "fogo". A partir dessa característica, Agostinho deduziu três qualidades dos Serafins. A primeira é que, como o movimento do fogo é contínuo e em direção ao alto, os serafins são sempre inclinados a Deus. A segunda qualidade diz respeito ao calor do fogo, que alcança "até mesmo as menores coisas". Essa propriedade confere aos serafins a qualidade do fervor e faz com que esses anjos exerçam uma ação purificadora sobre aqueles a quem protegem. Finalmente, Agostinho afirma que o fogo do qual são feitos os serafins lhes dá o poder da iluminação e de iluminar seus protegidos.

Estátua de São Francisco ladeado por serafins, em Praga (República Checa)

As escrituras e os textos apócrifos mencionam apenas os nomes de dois serafins: Serafiel e Metatron. No Livro de Enoque, Serafiel é descrito como o líder dos serafins. De proporções gigantescas, "da altura do Sétimo Céu", com o rosto de anjo e o corpo de uma águia. Metatron é o escriba divino, o líder de todos os anjos. A luz que emana deles é tão forte que, a não ser por Deus, nada nem ninguém – nem mesmo outros seres angélicos – conseguem olhar para eles de frente.

SERPENTE

Animal venerado pelos egípcios, a serpente simbolizava os ciclos do tempo, o fogo, por conta de seu veneno, e a água, devido ao seu movimento ondulado, renovação, e, por trocar de pele, evocava proteção, saúde e sabedoria. Devido a esses atributos, a serpente era um talismã muito poderoso, presente em joias e adereços.

De fato, para a maioria dos povos, a serpente tem um papel bastante multiforme como símbolo. Em diversos cultos africanos, é venerada como espírito ou divindade. Nas culturas da América Central, a serpente emplumada, *quetzal*, representa o Cosmos. Na China, está ligada à terra e à água, um símbolo yin, portanto. Entre os hindus, as najas são mediadoras entre deuses e homens, ora benfeitoras, ora malfeitoras. A serpente kundalini, enrolada na base da coluna vertebral, é considerada a sede da energia cósmica, um símbolo da vida e da libido. Na mitologia nórdica, a serpente Midgard rodeia a Terra como um disco, simbolizando a ameaça permanente à ordem do mundo.

SHABAT

A palavra "Shabat" é derivada do verbo *lashévet*, que significa "descansar" ou "sentar". Contudo, o Shabat é, na verdade, o dia dedicado às orações, considerado o dia mais importante da semana. Segundo a tradição, é nesse dia que o Céu e a Terra se encontram; Deus e o povo se unem em um abraço.

Os místicos judeus descreviam o Shabat como a *Shechiná*, ou a Rainha, ou ainda a Noiva de Deus que vai ao encontro Dele todas as sextas-feiras ao pôr do sol e fica até o pôr do sol seguinte.

Os judeus que observam o Shabat vivem o "Oneg Shabat", isto é, a alegria do Shabat. As atividades dos dias de trabalho são rejeitadas não apenas porque a lei deve ser cumprida, mas para que todos tenham tempo para o estudo, o canto, a oração e o banquete festivo que tornam esse dia tão especial.

De acordo com Renato Dasg Garcia, que estudou Cabala durante dois anos na sinagoga Aron HaBrit, no Rio de Janeiro, "em uma família tradicional, o marido, dirige-se à sinagoga mais próxima para participar do Shabat, em um templo. A mulher geralmente fica em casa preparando a refeição. Antes do pôr do sol, ela faz a oração mais importante do dia – o acendimento e as bênçãos das velas de Shabat.

Quando o marido retorna, ele abençoa a mulher com os versículos de Provérbios 31 e, em seguida, é a vez dos filhos serem abençoados.

O pão chalá, vinho sabático e velas: elementos fundamentais do rito

Shutterstock

Antes da refeição, o marido consagra o vinho e, logo após, faz o mesmo com o pão trançado, o chalá. Esta refeição deve ser a melhor da semana; mesmo os mais pobres se esforçam para esse objetivo. Após a refeição, há uma benção de ação de graças pelos alimentos, em seguida, são entoadas, em hebraico, canções litúrgicas ou folclóricas que celebram as alegrias deste dia, bem como o amor de Deus por seu povo Israel e a redenção do mundo".

É comum, entre os praticantes não ortodoxos, que a família vá junto à sinagoga. Lá, após o culto ou serviço religioso em que há uma prédica rabínica, acontece uma confraternização social entre os participantes que inclui um lanche, chamado *kidush*.

Durante as tardes de Shabat, pode-se praticar esportes, visitar os amigos ou ler. Os mais pios, porém, sempre destinam grande parte do dia ao estudo religioso.

SONHO

Desde seus primórdios, o mistério que permeia o sono intriga a humanidade. E na medida em que a religiosidade do Homem se desenvolvia, o sono veio a ser percebido como um efeito da intervenção divina: um fenômeno sagrado. Um vestígio dessa filosofia pode ser observado na reverência que os muçulmanos – principalmente os árabes – mostram por alguém adormecido. Porém o mistério do sono é ainda acentuado pelo fenômeno do sonho, que o acompanha. Os povos ancestrais atribuíram o sonho a uma agência sobrenatural e externa ao indivíduo. Através dos sonhos, os deuses se comunicavam com os humanos. Essa percepção é muito comum, por exemplo, entre os índios norte-americanos. Eles fabricam um instrumento mágico – o apanhador de sonhos – em forma de teia, para prender os sonhos maus e deixar apenas as mensagens positivas chegarem até o sonhador.

De fato, em diversas culturas, as pessoas favorecidas pelos sonhos eram consideradas sagradas e escolhidas como intermediárias entre os homens e os deuses, como acontece com os pajés brasileiros e os xamãs sul-americanos.

Essas ideias foram se aperfeiçoando, enquanto a civilização evoluía, sendo até mesmo sistematizadas, conforme aparece em registros de povos antigos do Oriente Médio. Os sumérios, egípcios, babilônicos, assírios, todos eles, enfim, estavam certos de que qualquer sonho expressava uma mensagem divina. A maioria dessas comunicações surgia espontaneamente, mas poderia também ser acessada através de rituais ou magia. A pessoa que desejava ter um sonho profético ia até o templo da divindade da qual ela esperava instruções, preparava-se ritualmente e lá dormia. Havia vários desses santuários na Antiguidade. O templo de Asclépio – o deus grego da Medicina – por exemplo, era um destino comum àqueles que desejavam obter remédios revelados através de sonhos.

Os teólogos cristãos modernos, beneficiando-se dos progressos da pesquisa psicológica, continuam a admitir a possibilidade de sonhos de origem sobrenatural. Com relação aos sonhos comuns, eles argumentam que, devido às faculdades imaginativas do Homem, podem adquirir uma perspicácia a ponto de vislumbraram eventos futuros. Em outros casos, porém – de longe os mais comuns –, é inútil e ilógico buscar qualquer interpretação.

Na Bíblia

Os registros bíblicos também confirmam essa crença entre os judeus. O profeta Jó (33:15) afirma: "Deus fala uma e duas vezes; ninguém atenta para isso. Em sonho ou em visão noturna, quando cai o sono profundo sobre os homens, e adormecem na cama. Então o revela ao ouvido dos homens, e lhes sela a sua instrução". O sonho, na religião dos hebreus, é visto como uma forma de Deus se comunicar com o homem. Através do sonho, Ele passa a mensagem ao destinatário. O judaísmo sustenta que se deve prestar atenção aos sonhos, uma vez que eles podem ser mensagens ou um determinado desejo, consciente ou inconsciente. Dessa forma, entre os judeus, os sonhos podem ser a busca por um ideal. De fato, atualmente, a ideia de sonho para os israelitas está ligada a algo material: ao sionismo e à paz em Israel.

A revelação divina através dos sonhos aparece frequentemente tanto no Velho como no Novo Testamentos. Na maioria das vezes, a revelação expressa no sonho vem diretamente de Deus, mas outras vezes Ele fala através de anjos, como nos sonhos narrados por Mateus e Paulo. De acordo com a Summa Theologica, a publicação católica oficial do Vaticano, "não há motivo, porque Deus não

Wikicommons

Satã torturando Jó, em ilustração de William Blake (c. 1826-7)

deve usar os sonhos para manifestar Sua vontade ao Homem (...) O sonho, como fenômeno psicofisiológico, tem suas leis que, embora sejam obscuras para o Homem, são estabelecidas por Deus e obedecem à Sua determinação. No entanto, como o Homem é facilmente iludido, é necessário que Deus, ao usar causas naturais, forneça evidências para deixar clara Sua intervenção".

Essa visão era amplamente reconhecida pelos primeiros padres da Igreja e escritores eclesiásticos. Sua tese era sustentada, principalmente, na autoridade bíblica. Afirmavam, porém, que a intervenção divina nos sonhos humanos é uma ocorrência excepcional, mas sonhar é um fato corriqueiro. Com relação a esses sonhos naturais, os padres primitivos cuidavam de advertir os fiéis para não cultivarem superstições em torno dos sonhos comuns. Entretanto, Sinésio de Cirene (370 – 414) escreveu um peculiar tratado sobre os sonhos. Baseando-se em Platão e no filósofo neoplatônico Plotino, Sinésio atribuía à imaginação um papel exagerado na manifestação onírica. Ele considerava, também, o sonhar como a mais simples e segura forma de profecia. Sinésio aceitou o episcopado apenas com a condição de poder se ater às suas ideias filosóficas.

Já para São Tomás de Aquino, "os sonhos vêm às vezes, de causas internas e, por outras, de causas externas. Duas causas internas influenciam nossos sonhos: um animal, visto que essas imagens permanecem nas fantasias do homem adormecido, conforme foram cultivadas por ele enquanto desperto; e a outra é física: sabe-se, de fato, que a disposição do corpo provoca uma reação na fantasia. Essas duas causas não produzem sonhos proféticos. Os sonhos podem, também, ser influenciados por causas externas – como as condições atmosféricas – que agem na imaginação do homem adormecido. Finalmente, os sonhos podem ser causados por agentes espirituais, como Deus, diretamente, ou, indiretamente, através dos seus anjos e do diabo".

No entanto, o sentido das mensagens divinas contidas no sonho nem sempre era claro. Às vezes, o significado era obscurecido por símbolos ou frases estranhas. Nesses casos, a mensagem dependeria de uma interpretação. Gradualmente, a prática de interpretar os símbolos

A Visão Oriental

Chuang Tzu, um antigo filosofo chinês, disse certa vez ter sonhado que era uma borboleta. Ao acordar, Chuang Tzu já não sabia se ele era um homem que tinha sonhado ser uma borboleta, ou se era, na verdade, uma borboleta, sonhando que era um homem. O devaneio de Chuang Tzu revela uma outra vertente no entendimento religioso do sonho: a de que a vida é como um sonho.

A ideia está igualmente presente na mitologia hindu. Vishnu – um dos principais deuses hindus – permanece adormecido sobre o oceano cósmico. Seu sonho é o Universo e tudo o que ele envolve.

Embora seja uma convicção oriental, esse conceito permeia igualmente a percepção de povos ancestrais e, até mesmo, a de certos ocidentais. O escritor norte-americano Edgar Allan Poe (1809 - 1849), por exemplo, afirmou que: "Tudo o que vemos não é nada mais do que um sonho dentro de um sonho". Os aborígines australianos também dizem que vivemos num tempo onírico. Para os xamãs aborígines, somos todos personagens de um sonho, vivendo nossas vidas através da ilusão da vida e da morte. Para qualquer coisa que os membros dessa cultura se propõem a fazer, primeiro eles se colocam a sonhar.

Wikimedia

Vishnu, cujo sonho é o Universo

oníricos se desenvolveu numa arte, mais ou menos associada à da profecia. Regras elaboradas foram estabelecidas e registradas em livros para ajudar os sacerdotes a explicar as visões daqueles que vinham procurá-los. Alguns desses manuais, produzidos pelos assírios e ba-

Os religiosos tibetanos chamam esse "tempo onírico" de bardo, ou estágio intermediário. Os bardos existem entre o fim de um estado e o começo de outro, como a morte e o renascimento. O sonho é um estado bárdico, marcando a zona não estruturada entre o despertar e o dormir. Ao contrário das outras correntes budistas, a tibetana faz uso dos sonhos como forma de aperfeiçoamento espiritual. Para os mestres do Tibete, as manifestações oníricas são reflexos de nós mesmos. Nos sonhos, não importa quantos personagens apareçam, todos eles são aspectos daquele que os sonha. Os tibetanos dizem que os sonhos são o espelho da alma e nos ajudam a compreender melhor a nós mesmos, a natureza e a realidade. Eles nos levam a outras dimensões da experiência, remetem a outros mundos, outras vidas e, até mesmo, à vida após a morte.

A Ioga do Estado Onírico, um antigo manual tibetano, foi escrito para ensinar aos seguidores do budismo vajrayana a sonhar lucidamente. A Ioga do Sonho leva o praticante a usar seus sonhos como uma senda espiritual que leva à união com o elemento divino dentro de nós, ligando (ou religando) o indivíduo à sabedoria da sua alma. A prática envolve aplicação diária e o uso da orientação recebida pelo discípulo nos seus sonhos, buscando despertar seu "corpo onírico" e usá-lo para o progresso espiritual.

Tenzin Gyatso, o 14º Dalai Lama, diz que "há uma relação entre o sonho e os níveis densos do corpo. Existe, porém, um estado onírico especial, no qual o corpo onírico é criado pela mente e pelo prana (energia vital) contido no corpo físico. Esse corpo onírico é capaz de se dissociar completamente do corpo físico denso e viajar para onde quiser ir". Esse corpo onírico, também presente nos ensinamentos dos xamãs sul-americanos, seria capaz de atingir a mais elevada verdade, interferindo tanto nos níveis sutis da realidade do Universo quanto nos densos. O sonhador controlaria, dessa forma, os eventos no mundo físico através do onírico.

bilônicos, e que chegaram até os nossos dias, nos contam que os *potherim* – ou intérpretes de sonhos – eram chamados, até mesmo, para ajudar seu cliente a se lembrar o sonho que tivera e que esquecera. Muitos livros de magia egípcios também contêm encantamentos para interpretar as mensagens divinas contidas nos sonhos.

Como os povos do oriente Médio, os gregos e romanos também atribuíam ao sonho um significado religioso. Muitos traços dessa crença são encontrados na literatura clássica. Homero deixa claro que os deuses enviam mensagens aos homens através dos sonhos para realizar seus desígnios. Os filósofos gregos compartilhavam desta mesma visão. Platão admitia que os sonhos podiam vir dos deuses, e Aristóteles considerava que neles havia uma qualidade profética.

SUÁSTICA

A suástica sempre foi um símbolo de boa sorte, conhecido em toda Europa, Ásia e até pelos índios norte-americanos. Costumava-se dizer que as pegadas do Buda eram suásticas. Cobertores dos índios navajos eram tecidos com suásticas e, pasme, sinagogas no Norte da África e na Palestina foram decoradas com mosaicos de suásticas.

As mais antigas suásticas conhecidas datam de 2.500 ou 3.000 a.C. na Índia e na Ásia Central. No norte da Europa, ela apareceu no primeiro milênio a.C.

O nome "suástica" vem da palavra sânscrita *svastika*, que significa bem-estar e boa fortuna. No entanto, vários autores atribuem à ela diferentes significados: da imagem do deus supremo ao símbolo solar; da representação do raio e da água ao símbolo do fogo; e da união do princípio masculino e feminino. De fato, o significado da suástica parece variar, conforme o tempo e o lugar, as associações com outros elementos e os diferentes objetos em que surge representada. Em uma antiga lápide cristã, por exemplo, a suástica aparece em destaque e com maiores dimensões que o crísmon – o monograma de Cristo –, sugerindo uma importância maior. Talvez isso tenha a ver com o fato de a suástica já ter sido usada como símbolo do coração do próprio Jesus, o que, neste caso, estaria representando.

Contudo, como foi que um símbolo de tão bons desígnios se tornou sinônimo da cega barbárie de um regime intransigente? Segundo Steven Heller, diretor de arte do *The New York Times Book Review* e autor de *The Swastika: Symbol Beyond Redemption*, tudo começou em 1914, quando o Wandervogel, um movimento juvenil alemão, a transformou em seu emblema nacionalista. Em 1920, o Partido Nazista a adotou. No seu livro *Mein Kampf* (Minha Luta), Hitler descreveu seu "esforço para encontrar o símbolo perfeito para o partido". Foi quando teve a ideia de usar as suásticas. Porém foi o dentista Friedrich Krohn quem desenhou a bandeira com a suástica no centro. "A maior contribuição de Hitler", pensa Heller, "foi inverter a direção da suástica" para que ela parecesse girar no sentido horário.

Contudo, a queda da suástica nazista foi tão rápida quanto sua ascensão. Em 1946, sua exibição pública foi proibida constitucionalmente na Alemanha. E hoje, ao menos no Ocidente, a sua imagem evoca guerra, caos, destruição, Holocausto e intolerância.

TAO

Segundo uma antiga lenda chinesa, quando a Dinastia Chou caiu, o famoso filósofo Lao Tsé chegou montado num búfalo às portas de uma guarnição na fronteira e pediu ao oficial um local onde pudesse descansar. O soldado lhe deu um lugar para se abrigar, mas, em troca, pediu ao mestre que escrevesse seus ensinamentos durante a estada. Lao Tsé consentiu e, durante os três dias em que ficou, escreveu uma obra de 5.250 caracteres, o *Tao Te Ching – O Livro do Caminho Perfeito*.

Pouco se sabe sobre Lao Tsé e, ao que tudo indica, o velho filósofo é uma figura mítica. No entanto, seja lá quem tenha sido o autor do *Tao Te Ching*, a visão do taoísmo é uma das maiores contribuições do pensamento chinês para o mundo. Basta dizer que o *Livro do Caminho Perfeito* é o texto chinês mais traduzido para as línguas ocidentais.

Yang e Yin: um dos símbolos taoístas mais conhecidos

O tradutor e compilador do *Tao Te Ching*, o monge budista Murillo Nunes de Azevedo, afirma na introdução da versão brasileira do Tao Te Ching que: "Tao é uma palavra hermética, intraduzível. Para mim, a melhor imagem é a do Caminho Perfeito, a linha de menor resistência entre dois pontos – aquela que se vê quando a chuva cai na montanha, e as gotas vão à procura do vale, seguindo um caminho que reflete o menor esforço". O Tao é, portanto, o Caminho natural de todas as coisas e seres em direção à sua evolução plena, à sua iluminação. O Tao permeia todas as coisas e leva aqueles que se deixam guiar por ele ao seu aperfeiçoamento.

Outro conceito fundamental do taoísmo é o Wu Wei. A tradução literal desse termo é "sem ação", mas a ideia por trás dele é "fazer sem fazer". Ou seja, aplicar o *Wu Wei* significa fazer as coisas sem que se coloque qualquer esforço ou tendência no ato, seguindo-se apenas o curso natural da ação. O *Wu Wei* é o indicador do Caminho, ou Tao.

Além disso, os taoístas seguem os preceitos das três joias: a compaixão, a moderação e a humildade. Conforme a ideia comum a todas as grandes religiões de que tudo tende à perfeição, as três joias também levariam ao aperfeiçoamento do taoísta. Segundo Lao Tsé, ao praticar a compaixão, a pessoa encontra a coragem; a moderação a leva à generosidade, e a humildade a conduz à liderança.

THOT, LIVRO DE

Há milênios – por volta de 3000 anos a.C. –, viveram no antigo Egito grandes adeptos e mestres, que ministravam seus conhecimentos a poucos e escolhidos discípulos. Conta-se que existiu um entre eles que era proclamado como o Mestre dos Mestres. Chamavam-no de Hermes Trismegisto, o três vezes grande. Algumas tradições judaicas dizem que o bíblico Abraão, que era seu contemporâneo, teria recebido parte de seu conhecimento místico do próprio Hermes.

Depois de muitos anos da sua morte – algumas tradições afirmam que ele viveu trezentos anos –, os egípcios fizeram dele um de seus deuses sob o nome de Thot; já os gregos antigos o deificaram como "o Deus da Sabedoria".

O conhecimento era transmitido de mestre a discípulo, dos lábios aos ouvidos. Está espalhado por todo o mundo, dentro de praticamente todas as tradições, mas não pertence a nenhuma seita em especial.

Diz a tradição ocultista que Thot deixou um livro com as chaves para ingressar em todos os tipos de conhecimento existente. Nele são espelhados divindades representando princípios universais, que se expressam por meio de símbolos, interpretados por meio de números. Estes, por sua vez, traduzem ideias que a mente correlaciona com o princípio universal.

O deus Thot em coluna de templo egípcio

Shutterstock

Prevendo uma época de decadência espiritual da humanidade e perseguição ao conhecimento sagrado, os altos sacerdotes egípcios, guardiões dos mistérios sagrados, encontraram um meio de preservar da destruição os ensinamentos iniciáticos para que pudesse ser usufruído em gerações futuras. Assim, Hermes Trismegisto – ou Thot –, o sumo-sacerdote, planejou um livro com base num grandioso sistema simbólico da sabedoria esotérica na forma de um baralho de 78 cartas – o Tarô. Acredita-se que o Tarô tenha sido escrito em lâminas de ouro, em um templo perto de Mênfis, 171 anos após o Dilúvio, sendo executado por 17 magos, que nele trabalharam quatro anos. Os sacerdotes sabiam que, devido ao hábito do jogo, os conhecimentos certamente chegariam à posteridade. Ao término, Thot encerrou o livro numa caixa de ouro, a qual colocou dentro de uma de prata, a de prata numa de marfim, a de marfim, numa de bronze, a de bronze em uma de cobre, a de cobre numa de ferro e a depositou no fundo do Nilo. Segundo alguns estudiosos místicos, há indícios de que nos "vasos de ouro e prata" citados por Moisés como roubados do Egito pelos israelitas, estavam algumas das lâminas que compunham as páginas desse livro, e que o conhecimento de seu conteúdo fundamentou a Cabala, a corrente mística do judaísmo.

O tarô de Marselha originou-se do Livro de Thot

Shutterstock

Se o simbolismo do livro de Thot for interpretado como possível chave que facilita a predição por inspiração psíquica, cada lâmina é todo um conjunto de ideogramas, que, sendo a expressão de conceitos universais para a mente, não só a abre à compreensão desses conceitos, como atualiza momentaneamente certas faculdades.

Cada lâmina do Tarô corresponde a um arcano, ou seja, um mistério cujo conhecimento é acessível à inteligência humana. Ele é indispensável para a compreensão de fatos, leis ou princípios universais. Esse conhecimento é simbolizado no tarô através das cores, dos quadros e das figuras geométricas, além dos números. Assim como cada povo tem sua própria visão de mundo expressa pelo seu idioma, o tarô é considerado um alfabeto iniciático, sendo as cartas-lâminas as suas letras. Os detalhes e as cores das lâminas são comentários complementares a essas letras.

De acordo com a tradição, essas figuras eram colocadas nas paredes de galerias subterrâneas nos antigos templos do Egito, onde o discípulo penetrava após ter passado por uma série de provas. O tarô completo representa um esquema da cosmovisão dos iniciados da Antiguidade.

As 78 lâminas são divididas em dois grupos: 22 arcanos maiores, que representam toda e qualquer manifestação deste mundo por nós habitado, e 56 arcanos menores, interpretados como veículo de ascensão do Homem rumo a elevadas realizações espirituais.

TORÁ

A doutrina judaica está descrita nas Sagradas Escrituras do judaísmo. São livros que formam a Bíblia como a conhecemos, divididos em três partes: A Lei (*Torá*), Os Profetas (*Nebi'im*) e os Escritos Sapienciais, ou Hagiógrafo (*Ketubin*).

A palavra Torá referia-se originalmente a uma instrução particular transmitida ao povo por um porta-voz de Deus, como um profeta ou sacerdote. É a herança do povo judaico, seu verdadeiro e imutável guia de vida. Como esses ensinamentos consistem, principalmente, de preceitos, a palavra *Torá* é muitas vezes traduzida como Lei.

A *Torá* também é chamada de Pentateuco, pois é composta de cinco livros: Gênesis; Êxodo; Levítico; Números; e Deuteronômio. Nela estão registrados os primeiros tempos da história de Israel, quando os israelitas foram libertados por Moisés da escravidão no Egito para se tornar o povo escolhido por Deus.

O livro do Gênesis começa com um relato da criação do mundo e

O Código da Bíblia

De acordo com o Rabino Avraham Steinmetz, em seu recente artigo Os Códigos da Torá, – as letras yud, shin, resh, alef e lamed, que compõem a palavra "Israel" – são encontradas em intervalos de sete letras no primeiro parágrafo da bênção do kidush, recitada nas noites de sexta-feira. Mera coincidência? Ao que parece, não.

Padrões semelhantes de palavras foram encontrados há mais de meio século por um rabino de origem tcheca, Michael Weissmandl. Porém somente com o advento dos modernos computadores foi possível estatisticamente verificar se esses padrões de palavras são involuntários e simples coincidências, ou se foram deliberadamente criptografados na Torá. Depois da morte de Weissmandl, seus discípulos e os rabinos Shmuel Yavin e Avram Oren continuaram o seu trabalho de pesquisa de palavras e padrões codificados na Torá.

No entanto, o grande avanço ocorreu no início da década de 1980, quando um rabino de Jerusalém mostrou ao Dr. Eliyahu Rips, renomado professor de Matemática na Universidade Hebraica de Jerusalém, o trabalho do rabino Weissmandl. Com a ajuda de avançadas ferramentas de estatística e computadores modernos, o Dr. Rips iniciou sua pesquisa buscando na Torá padrões de palavras e, a seguir, verificando matematicamente se eles haviam sido propositalmente codificados nela.

As experiências prosseguiam e confirmavam a tese do código encriptado na Torá. Em 1986, o Dr. Eliyahu Rips, Doron Witztum e Yoav

do princípio da vida e da civilização humana. Seguem-se, ocupando o restante do livro, as narrativas dos patriarcas. São histórias humanas, de proporções épicas. Têm um significado supra-histórico devido ao tema da Aliança de Deus com Abraão e seus descendentes. O livro do Êxodo move-se rapidamente da escravização dos descendentes de Jacob no Egito até sua libertação sob o comando de Moisés, quando a Aliança com Deus é reafirmada e restabelecida e todo povo se compromete a

Rosenberg realizaram uma extensa experiência: desvendar se os nomes de 64 rabinos famosos estavam codificados em intervalos de letras iguais no primeiro livro da Torá. Descobriram que, realmente, os nomes dos 64 grandes rabinos estavam de fato codificados em Bereshit, e suas datas de nascimento e morte estavam bem próximas a cada um de seus respectivos nomes. A probabilidade de que tais códigos sejam felizes coincidências é de 1 em 62.500. Este resultado estatístico é altamente significativo e indica que todas estas informações haviam sido deliberadamente codificadas na Torá milhares de anos antes desses rabinos terem nascido.

Os resultados desta experiência, contudo, não estão isentos de críticas. Muitos argumentam que o fenômeno dos códigos é peculiar à língua hebraica. Para contra-argumentar, Eliyahu Rips, Doron Witztum e Yoav Rosenberg tentaram duplicar a experiência em textos hebraicos aleatórios, mas não encontraram esses códigos em nenhuma outra publicação em hebraico. Nos últimos três anos, vários outros matemáticos tentaram encontrar a "falha fatal" nesta experiência. Porém, de acordo com o rabino Avraham Steinmetz, nenhum teve sucesso. "Mais cedo ou mais tarde, muitos falsos códigos serão desmascarados. No entanto, isso não deverá fazer com que se negue a existência de códigos legítimos na Torá. Os resultados do experimento dos Rabinos Famosos são estatisticamente válidos. Não podem ser atribuídos a meras coincidências e, portanto, não podem ser encontrados em nenhum outro texto hebraico", conclui Steinmetz.

obedecer às Suas leis. Desse ponto em diante, por todo o restante do Pentateuco, a narração se torna mais dispersa e a legislação toma o seu lugar. O livro do *Deuteronômio* recapitula as leis e, em menor escala, as narrativas dos livros precedentes, na estrutura dos discursos de Moisés, e termina com a sua morte.

Segundo os rabinos, no Pentateuco, há 613 preceitos – 248 mandamentos e 365 proibições. Esse material todo, ao menos em tese, teria sido escrito por Moisés até 1.225 a.C. Porém os estudiosos acreditam que a Torá contém textos procedentes de diferentes séculos, que só foram compilados entre 800 e 600 a.C.

No entanto, alguns estudiosos atribuem uma função ainda mais incrível à Torá. Eles afirmam que a repetição de letras em intervalo são um código capaz de revelar mensagens ocultas e, até mesmo, de predizer o futuro.

TRONOS

Os tronos são outra categoria de anjos relacionados ao Trono de Deus. Eles constituem a Terceira Ordem da Primeira Esfera Angélica. São eles que carregam o trono divino, daí o seu nome. São retratados como grandes rodas, cobertas com olhos. Alguns autores afirmam que os tronos são, na verdade, a própria carruagem-trono do Senhor, chamada de *merkabah*. São seres com muito poder e capacidade de movimento. Alguns teólogos afirmam que os tronos estão intimamente relacionados aos querubins.

São os mantenedores das energias mais elevadas e permitem que essas energias fluam para todos os reinos – divino, humano, ánimal, vegetal e outros. São, portanto, canalizadores de energia positiva. Os tronos irradiam energia curativa aos doentes e a sua luz dispersa a injustiça. Simbolizam igualmente a justiça e o poder de Deus e, de acordo com o Novo Testamento, esses seres celestiais estão a serviço de Cristo. Segundo São Tomás de Aquino, são os tronos que executam a justiça divina.

Como as outras potências angélicas da Primeira Esfera, os tronos estão entre os anjos de maior perfeição espiritual. Eles emanam a

A visão dos Tronos, de Giotto (1299)

luz de Deus como se fossem espelhos, mas, apesar da sua grandeza, são imensamente humildes, o que também faz deles seres de grande justiça.

O filósofo e escritor austríaco Rudolf Steiner (1861 – 1925) sustenta que os tronos são "Espíritos de Vontade" que sacrificam sua substância para criar o universo material, onde estariam ligados aos planetas.

Os tronos também são chamados de "ofanim", que significa "aquele com muitos olhos", ou são referidos, ainda, como "anciões". Como as outras criaturas angélicas da Primeira Ordem, isto é, os serafins e querubins, os tronos atingiram a posição máxima na evolução espiritual. Não precisando mais evoluir, passam a eternidade servindo a Deus.

TYET

Muitas vezes confundida com a cruz ansata, uma vez que possui uma forma ovalada similar, o nó de Ísis – Tyet ou Tet – era um amuleto relacionado à deusa da fertilidade e da Maternidade, Ísis. Era amarrado no pescoço do morto, a fim de lhe assegurar uma viagem protegida e segura ao submundo.

O nó de Ísis é relacionado ao sangue de Ísis e, por isso, geralmente tem a cor avermelhada. Era frequentemente representado junto ao pilar de Osíris, ou Djed.

UMBIGO

Força criativa, origem da vida e centro do espírito, foco de concentração iogue como núcleo de energia psíquica. Na tradição védica, o lótus da criação nascia do umbigo de Vishnu, enquanto ele repousava sobre as águas cósmicas; do lótus nascia Brahma. No mito nórdico, a estrela polar era vista como o umbigo cósmico. Enquanto símbolo da vida, o umbigo é, por vezes, exagerado nas estátuas africanas. Um umbigo proeminente era emblema de força e beleza entre os chineses.

UNICÓRNIO

Castidade, pureza, poder, virtude – um símbolo de desejo sublimado e ícone cristão da encarnação. O unicórnio é o mais ambíguo e poético entre os seres fabulosos, normalmente retratado na arte medieval como um belo animal branco, com um único chifre em espiral brotando de sua testa. Tem o corpo, a crina e a cabeça de cavalo, cascos de antílope e cauda de leão. Os médicos gregos falavam dos poderes curativos do unicórnio – uma referência provável aos remédios indianos feitos com chifre de rinoceronte. Os primeiros escritores cristãos podem ter associado tal poder curativo com os chifres de um animal como antílope órix. De acordo com uma tradição teológica antiga, o unicórnio poderia purificar água intoxicada com veneno de cobra ao mexê-la com seu chifre, fazendo o sinal da cruz. Segundo uma tradição pagã, essa criatura veloz e arisca podia ser capturada apenas por uma virgem – uma aparente referência à associação entre o unicórnio e as deusas lunares virgens da caça, como a grega Artêmis e a romana Diana. O simbolismo fálico do chifre combinado com a mitologia da purificação faz do unicórnio um emblema da penetração espiritual – especificamente o mistério da entrada de cristo no útero virginal de Santa Maria. Tal é o sentido alegórico usado na iconografia medieval, onde um unicórnio aparece pousando a sua cabeça no colo de uma mulher, que o recebe num jardim, ou é levado a ela por um caçador, uma analogia ao anjo da Anunciação, Gabriel. Na tradição da cavalaria medieval, o unicórnio simbolizava a virtude do amor puro e do poder da mulher casta de domar e transformar o chifre do desejo sexual. Por isso, nas alegorias dessa época, a carruagem da Castidade era puxada por unicórnios.

Na alquimia, o unicórnio representa o mercúrio, junto ao leão, emblema do enxofre. Esses dois animais podem representar outras dualidades, como o Sol e a Lua, e são figuras populares usadas na Heráldica. O unicórnio é um emblema da Escócia.

VEDAS
Quando os invasores arianos penetraram no subcontinente indiano, a partir do segundo milênio a.C., levaram com eles uma contribuição que marcaria dramaticamente a face da Índia e que seria preservada até hoje: sua religião. O hinduísmo – que se originou da tradição ariana – baseava-se em conceitos de sacrifício. E, com o tempo, os brâmanes, sacerdotes que executavam esses ritos, acabaram compilando uma literatura que retrata a sua crença. Os hinos executados nos rituais originaram uma coletânea sobre as vidas e os poderes dos deuses, o Rig Veda. Essa coleção de textos foi reunida pela primeira vez em cerca de 1.000 a.C., sendo transmitida oralmente até serem finalmente escritos, em aproximadamente 1.300 d.C.

Veda quer dizer "saber", e os vedas não podem ser considerados um único livro, como a Bíblia, mas toda uma literatura sacra. A parte mais antiga do Veda é os *sanhitas*, hinos e fórmulas religiosas constituídos de quatro livros. Os 1.028 hinos do Rig Veda são convites aos deuses para participar dos sacrifícios em sua honra. Esse livro sagrado também contém uma série de mantras, versos relacionados com ritmos especiais para serem usados em determinados rituais.

O *atharvaveda*, um dos quatro livros que constituem os *sanhitas*, já têm um caráter diferente. É uma compilação de fórmulas mágicas para afastar desgraças e atrair saúde e prosperidade. Além disso, os *sanhitas* contêm textos em prosa tão antigos quanto longos, que trazem numerosas lendas.

Outra coleção de textos, os *Brahmanas*, é uma série de tratados filosóficos, a chamada doutrina secreta, ou *Upanishads*. Esses tratados, dos quais os mais antigos datam de 800 a.C., pregam a essência do hinduísmo, ou seja, que o núcleo espiritual mais íntimo de cada ser, o *atman*, ou Eu, é idêntico ao espírito universal, *Brahma*. Foi nos *Upanishads* que apareceu pela primeira vez a ideia de que a alma, depois da morte, entra no corpo de uma nova criatura, onde viverá as consequências das suas boas e más ações realizadas na existência que acabou de chegar ao fim. No curso normal do Universo, uma existência se sucede à outra num ciclo interminável, que os hindus chamam de *samsara*. Mas enquanto a maioria dos seres se arrasta de uma encarnação para outra, o homem deve buscar um meio de escapar da dolorosa roda de morte e renascimento. E esse meio, que encerra definitivamente a transmigração da alma, é o conhecimento. Para o hinduísmo, aquele que chega à consciência de que sua alma é da mesma substância que a alma universal, liberta-se de todo o desejo e, dessa forma, não realiza ações que venham a ser causas de uma nova reencarnação. Ao morrer, o homem ou a mulher que atingiu a iluminação se unem a Brahma e não retornam jamais ao mundo das constantes mudanças.

Com o passar do tempo, o culto védico foi se modificando, até chegar na sua forma atual, onde as divindades são louvadas no interior de templos. A formação dessas novas concepções e rituais religiosos pode ser acompanhada nos poemas do *Ramaiana*, do *Mahabharata* e nos dezoito *Puranas*, ou "antigas narrações". Esses escritos tratam de descrições de ritos redentores e considerações filosóficas. Entre eles, está o texto mais famoso do hinduísmo clássico, o *Bhagavad Gita*, ou "Cântico do Senhor". Nesse poema de setecentas estrofes, um episódio do *Mahabharata*, Krishna – a forma terrena do deus Vishnu – explica ao príncipe Arjuna que devemos cumprir o dever de um modo desinteressado, sem pensar em sucesso ou fracasso e sem temer a morte, pois, se o corpo perece, o espiritual que há no homem é, por sua vez, imortal.

Os Puranas retratam as ideias dos hindus sobre o Universo, além de trazerem diversos ritos e cerimônias de culto. O *Garuda-Purana*, por exemplo, trata especialmente dos mortos e da crença no Além. Um grupo especial de textos sagrados que tem relação com os Puranas são os Ágamas e os Tantras. A maioria desses escritos data do primeiro milênio d.C. e trata de ritos especiais seguidos por algumas seitas hindus.

Finalmente, as obras da tradição sagrada hindu se completam com os shastras, ou "manuais", das mais diversas ciências. No entanto, o ponto culminante dos Vedas é a doutrina do místico Shankara, ou Vedanta. Shankara, que viveu no século IX da nossa era, deu uma nova interpretação aos *Upanishads* e fundamentou seus ensinamentos em comentários das sagradas escrituras e dos poemas. Essa doutrina, divulgada pelo asceta Bengali Ramakrishna (1836 – 1886), conta hoje com numerosos seguidores, tanto na Índia como no Ocidente.

VELA

Como uma imagem de iluminação espiritual na escuridão da ignorância, a vela é um importante símbolo no ritual cristão, representando o próprio Cristo, a Igreja, a alegria, a fé e o testemunho. Num nível mais pessoal, individualiza o simbolismo do fogo. A vela de curta duração é igualmente uma metáfora da alma humana solitária que aspira a elevação. É com esse significado que as velas são utilizadas na iconografia ocidental, especialmente em naturezas mortas – e é pelo mesmo motivo que se desenvolveu o costume de se colocar velas ao redor de um caixão. Soprar as velas no bolo de aniversário muda, porém, o simbolismo evocando a respiração vital – prova que a vida continua além dos anos que já se passaram.

Wikicommons

A ascensão de Nossa Senhora, de Francesco Botticini (1475-76), mostra as três hierarquias e as nove esferas de anjos, com suas diferentes características

VIRTUDES

A principal atribuição dessa categoria de anjos é supervisionar o movimento dos corpos celestes, assegurando-se, assim, de que a ordem reine no Cosmos. A palavra "virtude" vem do latim *virtus*, que também se traduz como "coragem" – característica desses anjos. Contudo, em grego, a raiz *dunamis*, usada na *septuaginta* – a primeira tradução da Bíblia hebraica para o grego – pode ser traduzida com "força, "poder" ou "virtude". Assim, os atributos das Virtudes são a pureza e a fortaleza.

O pseudo-Dionísio, o Areopagita, afirmava que esses anjos bebem da fonte de todas as virtudes e as irradiam aos homens e mulheres, inspirando-os. O teólogo medieval escreveu que as virtudes "nunca se afastam da Divina Vida por fraqueza própria, ao contrário, ascendem sempre em direção à Virtude superessencial, a qual é Fonte de todos esses anjos: espelham-se, tanto quanto podem, na Virtude; estão sempre voltados à Fonte das Virtudes e irradiam-nas de forma providencial àqueles abaixo deles, enchendo-os de virtude".

YGGDRASIL

Os antigos escandinavos acreditavam que, no princípio, havia apenas um deus chamado Pai de Todos. Ele sempre existiu, além do tempo e do espaço. Pai de Todos reinava sobre um abismo universal, sem fim: Ginnungagap era como se chamava esse abismo. E flutuando no meio de Ginnungagap havia uma enorme árvore, um freixo, chamada Yggdrasil. Era Yggdrasil que unia todos os nove reinos – na verdade, mundos, ou dimensões, habitados por diferentes criaturas. Sob as raízes ao sul de Yggdrasil estava o reino de Muspell, o qual é tão quente que qualquer um que não fosse de Muspell seria consumido pelo seu calor. Esse reino era guardado pelo gigante armado com uma espada de fogo, Surtr. Brasas incandescentes desabavam de Muspell no abismo Ginnungagap, ponteando a escuridão com o rubor das chamas.

Sob outra raiz do freixo Yggdrasil, dessa vez ao norte, fica Niflheim, uma terra de névoa e escuridão. Um dos reinos que compõem Niflheim é Hel, o país dos mortos. Sob Niflheim há um caldeirão borbulhante, Hvergelmir, que alimenta doze rios caudalosos. Dentro do enorme caldeirão Hvergelmir há um gigantesco dragão, Nidhug, que busca destruir Yggdrasil. O dragão morde ferozmente as raízes do freixo, tentando derrubar a colossal árvore. Nidhug tem aliados que tramam com ele o fim do mundo. As águas dos rios formados por Hvergelmir caem numa cascata torrencial nas entranhas de Ginnungagap. Ao despencar no vácuo frígido, as águas dos rios se transformam em grandes blocos de gelo. As brasas que caem de Muspell, o reino de fogo, desabam sobre os blocos de gelo, formando gigantescas nuvens de vapor que se erguem das profundezas de Ginnungagap.

MAÇONARIA
E SEUS PRINCIPAIS SÍMBOLOS

Como em toda grande tradição de sabedoria, a Maçonaria lança mão de símbolos para expressar seus conhecimentos iniciáticos. Os símbolos inspiram e ensinam e são a matéria-prima da arte – uma "gramática" atemporal que pode nos lembrar aquilo o que sempre existiu, mas que já foi esquecido –, e a Maçonaria, que busca levar a consciência humana à iluminação e que não pode ser compreendida através de mero exercício intelectual, usa e adapta diversos elementos simbólicos em suas práticas e iniciações.

O TEMPLO

Na Maçonaria, templo é o local de reunião de uma Loja. Tem a forma retangular e não deve ter janelas. As paredes são pintadas de azul, decoradas com um cordão que forma, de distância em distância, 81 nós emblemáticos. O teto representa a abóbada celeste, repleta de estrelas.

A palavra "templo" remete, na Maçonaria, ao Templo de Salomão. Apesar disso, os templos maçônicos não refletem o edifício histórico. Não se pode dizer que existe um "estilo maçônico" pelo qual se é capaz de identificar uma loja maçônica apenas pela observação do seu exterior.

O simbolismo do templo remete às palavras de Jesus, quando, ao expulsar os cambistas e mercadores do Templo de Jerusalém, afirmou ter poder para agir daquela maneira, porque destruiria "este templo e em três dias o reedificarei" (Jó 2:19). Ele se referia ao templo do seu corpo. Este é o templo maçônico.

São Paulo traduziu estas ideias afirmando que "sois Templo de Deus e o espírito de Deus habita em vós" (Ef. 2:21).

O ALTAR

O altar é o lugar onde o espiritual se materializa. No Brasil, não há uma uniformização do altar. Algumas Lojas o constroem em forma de triângulo; outras, quadrado; há ainda as Lojas que o apresentam como uma pequena coluna. Sobre o altar são colocados o livro sagrado, um compasso e um esquadro – chamados de utensílios. São os apetrechos usados para construir o "edifício" que será o futuro maçom. Geralmente o livro sagrado é a Bíblia, mas isso depende de onde a Loja estiver localizada. Além desses elementos, há Ritos que colocam outros símbolos sobre o altar, como a Espada Flamejante.

O ESQUADRO

Para os antigos egípcios, o esquadro era um quadrado perfeito, usado no culto de Osíris para julgar os homens. Na Maçonaria, representa a Terra e orienta a marcha do aprendiz do começo ao fim. Trata-se do símbolo maçônico mais usado e conhecido. Todos os graus da Maçonaria têm o esquadro como símbolo primário. Por ser uma figura geométrica, ele indica o equilíbrio do comportamento que conduz ao aperfeiçoamento humano no "caminho reto da justiça".

O COMPASSO

Este instrumento serve para uma das figuras geométricas mais cheias de simbolismo: o círculo. Porém o compasso também é um utensílio que pode tanto medir como transferir medidas. Sua posição traduz a estática e a dinâmica. Com suas hastes fechadas, ele somente marca um determinado ponto – um símbolo para o início da viagem empreendida pelo aprendiz. Abertas, as hastes traçam o círculo – o infinito, o palco onde a vida acontece e evolui.

O uso do compasso na Loja maçônica remete mais ao grau de Mestre do que os demais. O homem dentro do círculo é o ponto marcado pela ponta seca do compasso. "No ponto", escreve Rizzardo da Camino em sua obra *Introdução à Maçonaria*, "nós estamos em Deus e Deus está em nós".

O Livro Sagrado, o esquadro e o compasso são as "grandes joias" e as "grandes luzes" da Maçonaria. Quando a Loja está fechada, a Bíblia fica igualmente fechada. Quando, porém, a Loja está aberta, esse livro é aberto e, sobre suas páginas, se coloca o esquadro como ângulo para o Ocidente. Sobre este, assenta-se o compasso com abertura de 45°, com as pontas também voltadas ao Ocidente.

TRIÂNGULO COM OLHO

No templo de algumas Lojas, sobre a cadeira do Venerável – o trono –, há um triângulo luminoso com um olho humano. É a representação da presença material de Deus. O olho representa "Aquele que tudo vê". Curiosamente, os budistas também empregam um "Olho que tudo vê" nas suas stupas (templos) para representar Deus.

Embora esse triângulo não seja obrigatório, é um dos símbolos maçônicos mais conhecidos. Em algumas Lojas, em vez do olho, há uma letra G, ou a palavra "Iod" em caracteres hebraicos. Aqui, a representação é a do Grande Geômetra, uma outra expressão para designar o Grande Arquiteto do Universo.

Sua importância maior está no grau Companheiro.

A RÉGUA DE 24 POLEGADAS

A retidão, isto é, a observância das leis, sempre foi uma das principais preocupações da Maçonaria. Toda a natureza é regida por leis que garantem aquilo que os gregos antigos chamavam de *kosmos*, ou seja, "a ordem harmoniosa das coisas".

Na Maçonaria, a régua simboliza um método de realização. Quando o candidato é admitido como recipiendário, ele dá seu primeiro passo em linha reta, levando a régua em seu ombro. As 24 polegadas da régua maçônica representam as horas do dia.

PAVIMENTO MOSAICO

Este símbolo, formado por ladrilhos quadrados alternados, brancos e pretos, é um dos três ornamentos da Loja (os outros dois são a Estrela Flamejante e a Borla Festonada de 81 nós). Em alguns Ritos maçônicos, as cores do Pavimento se alternam entre branco, preto e vermelho. O simbolismo do Pavimento Mosaico remete à diversidade dos homens e de todos os seres, animados ou inanimados. É, de certa forma, semelhante à Rede de Indra, da mitologia hindu e budista. A rede de Indra, o deus do Fogo, simboliza a inter-relação inexorável de todos os seres do Universo. Os nós da rede – os pontos que unem todos os seres – são compostos de joias que refletem, como milhares de espelhos, todos os indivíduos relacionados.

Shutterstock

O Pavimento Mosaico

BORDA FESTONADA

Este ornamento, geralmente colocado no perímetro da Loja, tem diversas interpretações simbólicas. É a "muralha" protetora em torno da humanidade. Seus laços, formados pela Borda nos quatro cantos da sala, simbolizam temperança, fortaleza, prudência e justiça. Também evocam os quatro elementos: terra, ar, fogo e água. Relembra, também, a Cadeia de União, a unidade ininterrupta entre os maçons. A cor da Borda Festonada varia, mas em geral é dourada.

ESTRELA FLAMEJANTE

O terceiro ornamento não é a única estrela da Loja. Além das constelações que formam os símbolos do zodíaco, há três estrelas: uma de cinco pontas, outra de seis e a terceira de sete. A Flamejante tem seis pontas. Em geral, é feita de cristal e iluminada por dentro através de uma lâmpada. No centro, pode haver uma letra G, isto é, o Grande Geômetra, ou a letra J, de Jeová. Essas letras às vezes são substituídas pelo ouroboros – uma cobra mordendo a própria cauda, símbolo da inteligência suprema e eterna.

O simbolismo da Estrela Flamejante evoca o Sol ou o Fogo Sagrado – reflexos da Luz de Deus. É um emblema da unidade do espírito com a matéria manifestada no Universo.

A estrela de cinco pontas, por sua vez, representa o homem perfeito em seus cinco aspectos – físico, emocional, mental, intuitivo e espiritual.

Já a estrela de sete pontas evoca o misticismo do número sete: as sete cores do arco-íris; as sete notas musicais; os sete estados de consciência do homem; os sete raios cósmicos, etc.

CORDA DE 81 NÓS

Em torno da Loja é colocado um cordão com nós simples feitos de espaço em espaço. O cordão é feito de muitos fios que, isolados, são frágeis, mas que unidos são extremamente resistentes. É o símbolo da "união faz a força". O cordão também representa a Cadeia de União. Os nós feitos em espaços regulares têm um duplo sentido. Significam os elos da cadeia, isto é, os próprios maçons que se unem sem se fundirem e sem perderem a individualidade. Seu outro sentido tem a ver com as dificuldades da vida, lembrando ao maçom que ele deve esperar pelo pior e que para se conquistar alguma coisa deve se desatar o nó.

O número de nós do cordão – 81 – remete ao simbolismo do número 9. Os 81 nós são o resultado da multiplicação do 9, o símbolo da imortalidade, da regeneração e da vida eterna, por ele mesmo.

COLUNAS

Os atuais templos maçônicos têm 12 colunas que correspondem aos signos do zodíaco. São a base mental da Loja. Três das principais colunas são representadas pelo Venerável Mestre da Loja e pelo Primeiro e Segundo Vigilantes. Há outra coluna totalmente invisível que se eleva do altar, ou Ara, até o Grande Arquiteto do Universo. Cada Dignidade e Oficiais da Loja, bem como cada mestre, Companheiro e Aprendiz, representam uma coluna. A Loja é, na verdade, a soma das colunas visíveis e invisíveis. Cada uma delas sustenta alguma coisa, embora não tenham a mesma dimensão. Isto porque as medidas das colunas variam de acordo com o grau de conhecimento que cada um possui. Todas, porém, dirigem-se aos astros. A do Venerável, ao sol – ciência e virtude; a do Primeiro Vigilante, a Netuno, ou seja, purificação e estabilidade; a do Segundo vigilante, a Urano, ou eternidade e imortalidade; a do Primeiro Experto, a Saturno, isto é, consciência e experiência; a do Orador, a Mercúrio – força e firmeza; a do Secretário, a Vênus, o planeta-símbolo da beleza; a do Tesoureiro, a Marte, que representa honra e valor; finalmente, a do Mestre de Cerimônias, à Lua – pureza e temperança.

As colunas colocadas no pórtico da Loja são as Colunas de Salomão. São as famosas Jaquim e Boaz, construídas pelo arquiteto do Templo de Salomão Hiram Abiff e descritas na Bíblia, no Livro I Reis 7:15 a 22. As colunas eram ocas e serviam para guardar os livros da Torá e outros documentos.

ABÓBADA AZULADA

O teto de uma Loja Maçônica representa o céu com estrelas, nuvens e o Sol. A abóbada é sustentada pelas colunas representadas pelos maçons. Portanto, simbolicamente, o iniciado sustenta o Universo mental.

LUZ

Um dos símbolos mais profundos e essenciais da Maçonaria é a luz. Em muitos momentos, a luz assume uma função iniciática. Sobre a mesa do Venerável há três luzes representando ciência, virtude e verdade. As do Primeiro Vigilante, constância, estudo e progresso, e as do Segundo Vigilante, liberdade, igualdade e fraternidade.

Os juramentos são feitos diante de uma luz que simboliza a presença visível do Grande Arquiteto do Universo. Assim, o candidato está prestando juramento não perante os homens, mas perante Deus. Este simbolismo lembra também que cada maçom é uma luz isolada e que a soma das muitas luzes formam o Sol que ilumina e aquece toda a humanidade.

AS JOIAS

Há seis joias numa Loja maçônica: três móveis e três fixas. As móveis – o esquadro, o nível e o prumo – são usadas respectivamente nos colares do Venerável, do Primeiro Vigilante e do Segundo Vigilante. São chamadas de "móveis" porque podem ser transferidas, quando os titulares dos cargos deixam o mandato.

O esquadro, conforme já foi dito, indica o equilíbrio do comportamento que conduz ao aperfeiçoamento humano no "caminho reto da justiça". O nível diz respeito à igualdade e à harmonia. Já o prumo representa a retidão.

As joias fixas são a pedra bruta, a pedra polida ou angular e o painel.

Jean Palou afirmou em seu livro *A Franco-Maçonaria Simbólica e Iniciática* que "a pedra bruta continua sendo um dos símbolos fundamentais da Maçonaria". Trata-se de uma representação do novo maçom, o Aprendiz. Esta pedra bruta é uma individualidade que deve ser

*Esquadro e compasso:
um dos mais conhecidos
símbolos maçônicos*

Shutterstock

trabalhada, desbastada e esculpida para chegar ao que Palou chamou de "Personalidade", isto é, o Aprendiz se integra ao "edifício global que forma a Franco-Maçonaria".

Palou aponta que a pedra angular "é um dos simbolismos mais difíceis de se estudar". Isso acontece porque "os autores, voluntariamente ou não, confundem-no com a pedra fundamental devido ao célebre Evangelho segundo São Mateus: 'Tu és Pedro e sobre esta pedra edificarei minha Igreja'". Para explicar o verdadeiro significado da pedra angular, Palou lança mão de uma imagem contida no Manuscrito de Munique. Dois pedreiros segurando uma trolha em uma das mãos e com a outra preparam uma pedra para assentar no cume do edifício – a torre de uma igreja. A pedra angular "coroa", portanto, a construção. "Por isso, representa de uma certa forma", explica Palou, "a 'pedra descida do céu'". É a pedra angular que completa a construção do edifício, ou, em outras palavras, que o leva à perfeição.

A terceira joia fixa, o painel, varia de acordo com o Rito. Normalmente é colocado no centro do Pavimento Mosaico, ou em frente ao altar. O Painel contém todos os símbolos maçônicos.

ESCADA DE JACÓ

Em Gênesis 28:10-18 há uma lenda que narra o sonho de Jacó, onde ele viu uma grande escada que ia da Terra ao Céu. Anjos subiam e desciam por ela. Na Maçonaria, cada degrau da escada representa o esforço que o maçom deverá empreender para ascender à Perfeição.

MAR DE BRONZE

Outro símbolo que remete à construção do Templo do Senhor pelo rei Salomão. Nesse templo, o Mar de Bronze era uma gigantesca pia sustentada por doze touros em tamanho natural, tudo em bronze. Na pia, os sacerdotes faziam suas abluções e purificações. As Lojas maçônicas representam o Mar de bronze através de uma bacia de metal usada nas iniciações. Significa o batismo da água, a purificação e o esquecimento do conhecimento profano.

CÂMARA DAS REFLEXÕES

É um local onde o candidato se recolhe antes de ser introduzido no templo. Constitui uma das passagens mais importantes para o neófito. Iluminada por uma lâmpada, a sala não recebe luz do exterior. É o local onde o candidato enfrenta a realidade da morte. Por isso, é representada como uma câmara fúnebre. As paredes da câmara são forradas de preto e pintadas com emblemas fúnebres. Lá também há um esqueleto, ou um crânio, humano. Frases do tipo "Se queres bem empregar tua vida, pensa na morte" ou "Se tens medo, não vás adiante" são inscritas na câmara para provocar a reflexão do profano.

Bibliografia

REFERÊNCIAS BIBLIOGRÁFICAS

ANÔNIMO. *O Caibalion*. São Paulo: Cultrix, 2003.

BLANC, Claudio. *O Grande Livro da Maçonaria*. São Paulo: IBC, 2020.

BLUM, Ralph. *O Livro de Runas*. Tradução de Luísa Ibanez. São Paulo: Bertrand, 1991.

CAMINO, Rizzardo da. *Introdução à Maçonaria*. São Paulo: Madras, 2004.

CARR-GOMM, Sarah. *The Hutchinson Dictionary of Symbols in Art*. Oxford: Helicon, 1995.

FERGUS, Jon William (org.) *The Vedas: The Samhitas of the Rig, Yajur (White and Black), Samma and Atharva Vedas*. Tradução para o inglês de Ralph T.H. Griffith e Arthur Berriedale Keith. Londres: Createspace Independent Publishing Platform, s/d.

JUNG, Karl G. (org.) *O Homem e Seus Símbolos*. Tradução de Maria Lúcia

Pinho. Rio de Janeiro: Nova Fronteira, s/d.

LAUNAY, Olivier. *A Civilização dos Celtas*. s/t. Rio de Janeiro: Otto Pierre Editores, 1978.

LEXIKON, Herder. *Dicionário de Símbolos*. São Paulo: Cultrix, 1994.

PAULOU, Jean. *A Franco-maçonaria Simbólica e Iniciática*. Tradução de Edílson Alkmim Cunha. São Paulo: Pensamento, s/d.

PISCHEL, Gina. *História Universal da Arte* vols. 1, 2. São Paulo: Melhoramentos, 1978.

Sagrada Bíblia Católica: Antigo e Novo Testamentos. Tradução de José Simão. São Paulo: Sociedade Bíblica de Aparecida, 2008.

SINCLAIR, Andrew. *O Pergaminho Secreto*. Tradução de Claudio Blanc. São Paulo: Madras, 2004.

_____. *A Espada e o Graal*. Tradução de Claudio Blanc. São Paulo: Madras, 2004.

TRESIDDER, Jack. *The Hutchinson Dictionary of Symbols*. Oxford: Helicon, 1997.

TZE, Lao. *Tao Te Ching: O Livro do Caminho Perfeito*. Tradução de Murillo Nunes de Azevedo. São Paulo: Pensamento, 1995.

YOUNG-EISENDRATH, Polly; DAWSON, Terence (org.). *The Cambridge Companion to Jung*. Cambridge: Cambridge University Press, 2008.

CONFIRA NOSSOS
LANÇAMENTOS AQUI!

Camelot
EDITORA

 CamelotEditora